FRANCISCO DE ASSIS

OBRAS DO AUTOR PUBLICADAS PELA EDITORA RECORD

Com a maturidade fica-se mais jovem
Demian
Felicidade
Francisco de Assis
O jogo das contas de vidro
O Lobo da Estepe
A magia de cada começo
Narciso e Goldmund
Sidarta
O último verão de Klingsor
A unidade por trás das contradições: religiões e mitos

HERMANN HESSE
FRANCISCO DE ASSIS

TRADUÇÃO DE KRISTINA MICHAHELLES

8ª edição

EDITORA RECORD
RIO DE JANEIRO • SÃO PAULO

2025

CIP-BRASIL. CATALOGAÇÃO NA PUBLICAÇÃO
SINDICATO NACIONAL DOS EDITORES DE LIVROS, RJ

H516f
8ª ed.

Hesse, Hermann, 1877-1962
    Francisco de Assis / Hermann Hesse; tradução de Kristina Michahelles. – 8ª ed. – Rio de Janeiro: Record, 2025.
    128 p.: il.; 21 cm.

    Tradução de: Franz von Assisi
    "Com ilustrações em cores dos afrescos de Giotto e ensaio de Fritz Wagner"
    ISBN 978-85-01-11385-6

    I. Francisco, de Assis, Santo, 1182-1226. 2. Franciscanos. 3. Santos cristãos – Biografia. I. Título.

19-58656

CDD: 922.22
CDU: 929:27-36

Leandra Felix da Cruz – Bibliotecária – CRB-7/6135

Título original:
Franz von Assisi

Copyright © 1904 by Hermann Hesse.
Todos os direitos reservados por Suhrkamp Verlag Berlin

Copyright das imagens © 2019 by Photo Scala, Florence

Revisão de tradução: Petê Rissatti
Preparação de original: Ivone Benedetti
Design de capa: Leonardo Iaccarino

Texto revisado segundo o novo Acordo Ortográfico da Língua Portuguesa.

Todos os direitos reservados. Proibida a reprodução, no todo ou em parte, através de quaisquer meios. Os direitos morais do autor foram assegurados.

Direitos exclusivos de publicação em língua portuguesa somente para o Brasil adquiridos pela
EDITORA RECORD LTDA.
Rua Argentina, 171 – Rio de Janeiro, RJ – 20921-380 – Tel.: (21) 2585-2000, que se reserva a propriedade literária desta tradução.

Impresso no Brasil

ISBN 978-85-01-11385-6

Seja um leitor preferencial Record.
Cadastre-se no site www.record.com.br
e receba informações sobre nossos
lançamentos e nossas promoções.

Atendimento e venda direta ao leitor:
sac@record.com.br

No romance *Peter Camenzind*, publicado em 1904, Hesse revela sua veneração por Francisco de Assis, a quem, naquele mesmo ano, dedicou uma pequena monografia. "Não se poderia escrever dessa maneira sobre um personagem moderno", registrou numa carta ao editor, depois de terminar o texto, "mas, nesse caso, o objetivo é fazer falar um testemunho de outra época, há muito tempo emudecido". Hesse narra a trajetória do santo intencionalmente no estilo das lendas, tal qual encontrou, entre outros, na biografia medieval sobre Francisco de Assis, de Tomás de Celano, em são Boaventura e nos relatos mais modernos de Henry Thode e Paul Sabatier.

A presente pequena monografia permaneceu esgotada por mais de oitenta anos, pois Hesse logo considerou a publicação um "trabalho leviano, escrito num entusiasmo juvenil e com uma inocência e ousadia que já nem concebo mais para mim". Já a crítica recebeu o pequeno volume com entusiasmo. O jornal *Neue Zürcher Zeitung* escreveu à época: "Numa linguagem simples, popular, ao mesmo tempo vigorosa e poética, cujo tom soa propositadamente antiquado, lembrando o das Sagradas Escrituras e das lendas, Hesse se baseia em poucos testemunhos históricos para apresentar uma imagem bem descritiva de seu santo preferido, traduzindo magnificamente bem a canção,* de Francisco de Assis."

Em 1905, quando foi publicada a tradução de *I Fioretti di San Francesco* (*Florilégio* de são Francisco), Hesse voltou ao tema e escreveu para o jornal *Münchner Zeitung*, já não mais no estilo hagiográfico. A lenda *O jogo das flores — sobre a infância de são Francisco de Assis*, de 1919, por sua vez, é fruto de sua livre imaginação e mostra, mais uma vez, a capacidade de Hesse de entender a alma desse homem que não sabia fazer nada pela metade e não pregava nada "que ele próprio não pudesse cumprir diariamente, embasando e apoiando a doutrina no exemplo".

Hermann Hesse, nascido em 2 de julho de 1877 em Calw, na região de Württemberg, filho de um missionário báltico-alemão e da filha de um missionário de Württemberg, ganhou o Prêmio Nobel de Literatura em 1946 e morreu em 9 de agosto de 1962, na sua "pátria eletiva", em Montagnola, próximo a Lugano.

---

* Literalmente, "Louvores das criaturas", mais conhecido como *Cântico das criaturas* ou *Cântico do irmão Sol*. (N. da E.)

Sumário

Introdução 9

A vida de são Francisco 13

Lendas
   *São Francisco explica a frei Leão o que é
   perfeita alegria* 45
   Como são Francisco respondeu a frei Masseo 47
   *São Francisco dá ordens às andorinhas e prega
   aos pássaros* 48
   São Francisco interpreta uma visão para frei Leão ... 50
   O falcão de são Francisco no Monte Alverne 51
   Laudes creaturarum 52

Final 57

Apêndice
   O Florilégio de são Francisco de Assis 63
   *O jogo das flores: sobre a infância de são
   Francisco de Assis* 74

Fritz Wagner
   Francisco de Assis e Hermann Hesse 87

Introdução

Desde tempos imemoriais viveram na Terra pessoas grandiosas e magníficas que não almejavam adquirir fama por meio de feitos inauditos ou de obras poéticas e livros. Mesmo assim, tais espíritos exerceram influência tão poderosa sobre povos e épocas inteiras que todos os conheciam e falavam deles com entusiasmo; assim, seu nome e a notícia de sua existência correram de boca em boca e não se perderam no fluxo e nas reviravoltas dos tempos. Pois tais pessoas não exerciam influência por obras, discursos ou artes dispersas, mas, acima de tudo, porque sua vida inteira parecia originada de um grande e único espírito e mostrava-se aos olhos de todos como uma imagem e um exemplo claro e divino.

Ainda que não tenham concluído nenhuma grande obra visível, essas figuras exemplares tornaram-se inesquecíveis mestres e senhores de corações, graças apenas à vida que levaram, por orientarem toda a sua ação e a sua existência de acordo com um único espírito superior, tal como um arquiteto ou artista erige uma catedral ou um palácio, não segundo seu capricho ou sua vontade vacilante, e sim de acordo com uma ideia clara e um plano vívido. Todos eram almas inflamadas e poderosas, consumidas por enorme sede de infinito e de eterno, que não se concediam descanso nem tranquilidade enquanto não reconhecessem, para além dos costumes de seu tempo e de seus contemporâneos, uma lei eterna segundo a qual, a partir de então, ajustariam seus atos e suas esperanças.

Eram poetas, santos, taumaturgos, sábios ou artistas, cada um a seu modo e segundo seus dons, mas todos iguais no sentido de vislumbrar, na brevidade e na transitoriedade da existência na terra, uma alegoria daquilo que é eterno e constante, e almejar, com desejo nostálgico e paixão ardente, casar o céu e a terra em seu próprio coração e fazer a brasa da vida eterna penetrar o que é terreno e mortal. Dessa maneira, a vida desses seres se libertou das amarras mortais e das fragilidades temporais e, despida de todas as contingências e da casca terrena, apresenta-se como um milagre diante da memória dos homens.

Toda e qualquer vida assim vivida por um homem grandioso nada mais é que um regresso ao princípio da criação e uma saudação fervorosa enviada do paraíso por Deus. Pois aqueles grandes sonhadores e almas heroicas recusaram-se a beber de águas turvas; nunca se satisfizeram com miragens ou com nomes em vez da essência, ou com imagens em vez da realidade; antes, ansiaram insaciavelmente alcançar as fontes puras e primordiais da energia e da vida, lidando com as almas misteriosas da terra, com as plantas e os animais como se fossem seus iguais, almas semelhantes e aparentadas, desejando conversar diretamente com Deus sobre suas necessidades e questões íntimas, em vez de conversar com imagens, símbolos e sombras vazias.

E, dessa forma, conseguiram aproximar todas as outras pessoas de Deus, conferindo novo valor ao mistério da Criação e interpretando-o a partir de uma intuição sagrada. Redescobriram a essência e a lei do homem interior, por enfrentarem a terra e o céu como se estivessem despidos, como se fossem os primeiros homens, enquanto nós, os outros, achamos que só podemos viver no casulo das ideias seguras e do costume herdado.

Essas pessoas verdadeiramente profundas e essenciais não raro eram tachadas de loucas, e não falta gente a quem tais almas sempre parecerão um tanto incompreensíveis e insensatas. Mas para quem observa com intenções sérias, a vida de um grande homem se mostra como um caudal e um grito profundo de toda a humanidade; pois, na verdade, tal vida sempre é um sonho em forma de corpo e pessoa, a manifestação visível de uma nostalgia e um anseio de eternidade de toda uma Terra cujas criaturas fugazes sempre tentaram associar seu destino às estrelas eternas.

Naquela época distante, que chamamos de *Medium Aevum*, ou Idade Média, foram-se erigindo entre os espíritos e os povos poderes imensamente hostis, e todas as nações foram abaladas pela trepidação do clamor bélico e por grandes batalhas. Entre imperadores e papas ardiam conflitos sangrentos, as cidades combatiam seus governantes, a nobreza e a plebe, aqui e acolá, travavam acerba luta. E a Igreja Romana, senhora do mundo, cuidava mais ciosamente de armamentos, alianças e legações, exílios e punições do que da paz das almas. Entre os povos amedrontados surgiu profunda miséria. Em vários lugares apareceram novos mestres e comunidades que resistiam, desprezando a própria vida, apesar das pesadas perseguições por parte da Igreja. Outros seguiam em bandos as imensas peregrinações rumo à terra prometida. Não havia guias nem segurança, e o Ocidente, coração da Terra, apesar de todo seu brilho exterior, parecia estar sangrando.

Foi quando, na Úmbria, um jovem desconhecido, em conflito de consciência e com profunda humildade, decidiu, com singeleza e desinteresse, ser um seguidor modesto e fiel do Salvador. E outros o seguiram — inicialmente dois, depois três, logo centenas, muitos milhares. E desse homem humilde da Úmbria irradiou-se sobre a Terra uma luz de vida e uma fonte de renovação e amor cujos raios fulguram até os nossos dias.

Era Giovanni Bernardone, chamado são Francisco de Assis, sonhador, herói e poeta. Dele se conservou apenas uma única oração ou canção, mas, em vez de palavras e versos escritos, ele nos legou a lembrança de sua vida singela e pura, que, em termos de beleza e grandeza tranquila, sobrepuja muitas obras poéticas. Quem narrar sua vida não precisará de outras palavras e observações, das quais me abstenho com alegria.

A vida de são Francisco

No século XII, vivia em Assis, na região da Úmbria, um negociante de nome Pietro Bernardone, que gozava de grande fortuna e boa reputação entre seus concidadãos, além de pertencer, como vendedor de tecidos, à classe mais distinta dos comerciantes. Como era costume e parecia necessário naqueles tempos, o senhor Bernardone frequentemente empreendia longas viagens a cidades e países distantes a fim de comprar seus tecidos nos mercados mais renomados. Com especial preferência e prazer, viajava para o sul da terra dos francos, onde existia então um grande mercado comercial na abastada cidade de Montpellier. Ali, aprendeu a língua dos francos, assim como seus usos e costumes, e acumulou conhecimentos variados. Naquele tempo, os mercadores eram de outro tipo e tinham um modo de vida diferente do que observamos hoje. Suas viagens não raro eram feitas à custa de muitos perigos, o que os tornava quase cavaleiros andantes; além disso, levavam muitas novidades e conhecimentos de um país a outro, geriam os negócios de príncipes e poderosos e eram, involuntariamente, arautos e mensageiros de novos episódios, doutrinas, canções e relatos. Sendo assim, não apenas adquiriam uma natureza cosmopolita e maneiras elegantes, como também levavam para além das fronteiras as novas ideias de homens sábios e seus ensinamentos.

O mencionado senhor Bernardone tinha por esposa certa *domina* Pica, da qual não se pode mencionar muito mais do que sua ascendência nobre (motivo pelo qual era chamada de *domina*). Além disso, somos levados a crer que *domina* Pica tinha suas origens em terras provençais, região de onde o esposo deve ter trazido seu gosto pelos modos mais livres e harmoniosos dos francos e pela língua destes. Diante do pouco que os antigos autores sabem contar sobre essa senhora de berço nobre, maior se torna nosso desejo de ter e contemplar um retrato de sua pessoa, que só pode ser imaginada como mulher amorosa, delicada e alegre, como os provençais, que sabiam tanto rezar com fervor como cantar e fazer poesia com graciosidade. E, quando observamos a vida e a obra de seu filho, persiste a ideia de que esse homem só pode mesmo ter tido uma mãe extremamente bondosa.

Ocorre que, naquele tempo, em todos os lugares nada era mais frequente do que falar sobre assuntos da fé e da Igreja; esta, não obstante os grandes êxitos exteriores, parecia entregue à paralisia interna e ao definhamento. Isso ensejava muito pesar, principalmente no seio do povo pobre, e hoje em dia podemos imaginar os povos então como um campo árido ou um animal silvestre morrendo à míngua, gritando e tremendo em suas carências e anseios. Tal como uma criança perdida numa selva escura teme desesperada e grita por socorro no mais profundo pavor, assim também na alma daquela gente clamava e fremia com paixão ardente uma nostalgia sedenta de fontes frescas. Por toda parte surgiam profetas, apareciam videntes e penitentes, reuniam-se comunidades ansiosas, mas todos eram banidos e perseguidos pela Igreja como hereges e apóstatas.

Todos desejavam saber das novidades sobre esses movimentos espirituais; o mais pujante deles surgira na terra dos francos. Era desse assunto que qualquer mercador em viagem mais ouvia falar e sobre o qual era interrogado em toda parte. O senhor Bernardone também sabia dessas coisas, e é provável que se falasse bastante de tais questões em casa, pois por toda parte a humanidade ansiava pela fé vívida, pela mensagem de Deus e pelas coisas eternas que, nas doutrinas e nos costumes da Igreja, haviam secado e morrido.

Além desses assuntos, Bernardone ouvia falar e falava dos negócios do mundo, de guerras, dos títulos de nobreza e do imperador Frederico Barbarossa, que reinava na época. A Barbarossa, que perdeu muito poder para as cidades italianas com a vitória de Legnano, sucedeu Henrique VI, que, por sua vez, agiu duramente contra a Itália. Na época, o imperador impôs a Assis o rigoroso governo de Conrado da Suábia, também chamado duque de Spoleto, que, do alto de sua fortaleza, que dominava a cidade, impunha à terra e ao povo um regime estrito.

Dessa maneira, a casa do senhor Bernardone testemunhava e espelhava os destinos e os acontecimentos mundiais; nela a vida era diversificada e agitada. Além disso, a cidade de Assis era (e continua sendo até hoje) um lugar magnífico, também para se viver, pois fica na encosta íngreme de uma alta colina, atrás da qual se ergue o majestoso Monte Subásio, e de Assis se tem um panorama amplo e mavioso de toda a região da Úmbria, que é das mais belas e férteis da Itália, com muitas cidades, aldeias, vilarejos e conventos.

Ocorreu que, no ano do Senhor de 1182 (ou, como dizem muitos, 1181), *domina* Pica deu à luz um menino enquanto seu esposo estava na terra dos francos. A mãe decidiu dar ao filho o nome de Giovanni. No dia em que isso aconteceu, entrou na casa um peregrino idoso e desconhecido que disse desejar ver o menino, pegou-o no colo, observou-o com afetuoso encantamento e irrompeu em louvores, profetizando ao recém-nascido um grande e magnífico destino. Em seguida, o menino foi batizado na catedral com o nome de Giovanni.

No entanto, o pai Bernardone, voltando de viagem algum tempo depois, chamou a criança de Francesco, e foi esse o nome que se conservou para sempre. Acreditou-se que tenha dado esse nome por causa de sua especial predileção pela terra e pela natureza dos francos. Já na mais tenra idade, Francisco também aprendeu o idioma gálico, que mais tarde gostava de empregar, especialmente quando se alegrava cantando belas canções.

Quanto ao resto, o menino cresceu sem muita instrução e recebeu apenas rudimentos na arte da escrita e no latim. Durante toda a vida, manejou a pena com muito esforço e sem prazer. Mas, se não foi criado para ser um erudito, usufruiu com felicidade os prazeres da meninice e viveu dias despreocupados, pois era de natureza risonha e vivaz, sendo afeito de coração a tudo o que há de belo e alegre.

Porém, ao avançar nos anos da juventude, começou a ser animado por certo anseio, como se precisasse fazer algo muito insólito e grandioso. Dessa forma, em sua jovem alma se movia um impulso inato, ainda sem objetivo e certeza, encoberto e obscuro, tal como um alegre adejar. Com paixão impetuosa, lançou-se à vida, pleno de vontade de descobrir todo o esplendor e o valor do mundo e de apoderar-se dele. Antes de mais nada, parecia-lhe nobre e desejável entregar-se à magnificente vida de cavaleiro, a que todo o seu ser se inclinava. Ademais, naqueles anos, ressoaram da França as primeiras doces composições dos trovadores do sul da Europa, que infundiam no jovem fervoroso desejos e intuições profundas, fazendo-o amar a terra dos francos como uma pátria distante. Ser cavaleiro e trovador eram seu sonho e seu anelo recôndito.

Visto que seu pai, apesar de não ser nobre, gozava de riqueza e estima, Francisco mantinha boa amizade com os jovens filhos dos aristocratas, exercitava-se nas armas e no canto, gastava muito dinheiro e vivia em tudo como um fidalgo. Desfrutava ao máximo das maravilhas do mundo, trajava-se rica e belamente, oferecia banquetes e rega-bofes, divertia-se cavalgando, praticando esgrima, jogando, dançando e usufruindo de todos os demais prazeres. Os camaradas e amigos o amavam muito, em parte pelo seu dinheiro, mas não menos por sua natureza alegre, amorosa e verdadeiramente nobre, pois na fineza do trato e na nobreza de sentimentos não ficava atrás de nenhum dos varões de alta estirpe. Acima de tudo, gostava de esbanjar e dar dinheiro, o que caía muito bem a um verdadeiro cavaleiro. Entre os filhos dos senhores, logo se tornou líder e rei e foi chamado de *princeps juventutis*.*

Apesar disso, seu coração sempre foi compassivo e misericordioso. Certa vez, um mendigo miserável entrou no estabelecimento de seu pai e suplicou pelo amor de Deus uma pequena esmola. Francisco tratou-o com ira e o mandou embora. Mas logo lamentou sua própria rudeza e ficou tão arrependido que seguiu o mendigo pelas ruelas, encontrou-o e presenteou-lhe o dobro.

Entrementes, surgiram tempos turbulentos. O mandatário imperial, Conrado, duque de Spoleto, teve de se render ao papa, e, mal havia saído da cidade de Assis, os moradores tomaram sua fortaleza e a destruíram, sem deixar pedra sobre pedra. No entanto, esse feito foi pouco benéfico para a cidade, pois o povo miúdo,

---

* Príncipe da juventude. *(N. da E.)*

não satisfeito com a destruição da fortaleza, investiu contra a nobreza. Houve vários incêndios e assassinatos de nobres, que ficaram em situação desesperadora. Foi quando alguns desses fidalgos, em apuros, suplicaram ajuda e proteção à cidade de Perúgia, que rapidamente iniciou uma guerra contra o povo de Assis e os venceu em batalha campal. Nessa batalha, também Francisco lutou junto a muitos companheiros, mas não do lado dos traidores, e sim a serviço de sua cidade natal. Assim como várias outras pessoas, foi feito prisioneiro e levado para Perúgia, onde ficou preso por um ano, retornando a Assis apenas no final de 1203.

Durante esse longo período de cárcere, no entanto, o jovem perdeu muito pouco de sua jovialidade e energia; ao contrário, alegrava e consolava os demais prisioneiros. Pensava e falava ainda mais do que antes nas glórias da vida de cavaleiro e das honras bélicas. Quando foi libertado de Perúgia e voltou para casa, logo retornou à vida suntuosa de banquetes, arrogância e esbanjamento, entregando-se a todos os prazeres terrenos, como se estivesse sedento de abarcar todas as magnificências da terra e fartar-se com todas as delícias. Para sua natureza intensa e arrebatada, não era possível ser econômico e comedido; ao contrário, durante toda a vida, participou de tudo o que fazia com o coração transbordante; não conhecia descanso nem saciedade.

Sua mãe, no entanto, que reprovava os excessos do filho, absolvia-o graças à intuição de seu coração e acreditava firmemente que Deus logo haveria de reconduzir o jovem impulsivo para bons caminhos.

Depois de certo tempo, Francisco ficou gravemente doente e sentiu a mão da morte sobre si. Foi quando percebeu que a vida que se passa em constantes prazeres não traz contentamento nem tranquilidade interior. Embora desconhecesse o caminho rumo a outros bens, ansiava por abarcar a vida inteira com grande amor. Assim, entregou-se novamente às festas e à permissividade, mas sempre buscava uma glória mais nobre e a honra verdadeira, falando muito de sua intenção de se tornar príncipe e senhor com poder sobre muitas pessoas. A vida de cavaleiro, assim lhe parecia, encerrava tudo o que havia de elevado e todo tipo de salvação.

Chegou então a notícia de que, no sul da Itália, o conde Gualtério de Brienne armara-se a serviço do papa. E, em toda parte, homens e jovens corajosos e intrépidos decidiram rumar para lá, pois o conde Gualtério de Brienne era um grande herói, uma estrela entre os cavaleiros, e seu nome tinha som de espadas e lanças e de vibrantes cantos de vitória. Mal chegou a notícia, o jovem Francisco se inflamou, parecendo-lhe que todas as maravilhas e honras do mundo se exibiam diante de seus olhos. Com ele, sob o comando de um mesmo capitão, empunharam armas vários jovens nobres de sua cidade, porém Francisco superou a todos em brilho e luxo nos trajes e nas armas, com o que todos se admiraram sobremaneira. Além disso, falava com tantas pessoas sobre suas ideias ousadas de tornar-se herói e príncipe, e para alguns soava como tola jactância aquilo que para ele era um propósito sagrado. Seu temperamento ardente era de natureza tal que nenhuma realização medíocre ou mediana poderia satisfazê-lo. Ele almejava intensamente o que havia de mais nobre e magnificente na Terra.

Depois de se equipar com tudo o que havia de melhor, Francisco montou no cavalo e, com todos os seus camaradas, bradou um adeus e saiu cavalgando cidade afora, ricamente adornado com armas, como um audaz conquistador e aventureiro disposto a enfrentar lutas, honrarias e prazeres do vasto mundo. As trombetas lançaram um chamamento destemido, e seu belo cavalo saiu a galope pelo dia claro adentro, relinchando impaciente. Os trajes de Francisco resplandeciam e crepitavam sob o sol, e seu jovem espírito sonhava com coroas de ouro em ameias longínquas.

Então, no primeiro dia de viagem, o jovem ouviu a voz de Deus de tal maneira que seu coração estremeceu e desvaneceram-se as deliciosas imagens de prazer e vaidade que ele carregava dentro de si. Ninguém sabe o que lhe foi transmitido naquele momento nem quais vozes dilaceraram e subjugaram sua alma assustada. O momento em que se decide a sina íntima de uma pessoa costuma ser coberto pela escuridão, como um segredo sagrado. Francisco nunca falou de seus pensamentos ou dos rostos que viu no íntimo. Mas é certo que, subitamente, os enigmas da vida e da morte mostraram-se com nitidez diante de seus olhos, e um poder sagrado o obrigou, inexoravelmente, a fazer uma escolha e buscar um objetivo para seus caminhos. Em Spoleto, foi acometido pela febre e logo depois voltou a Assis, silente e alquebrado. Havia doado sua magnífica armadura a um fidalgo empobrecido.

Seus pais e todas os moradores da cidade ficaram espantados e zangados, riram e zombaram dele, que partira com a pretensão de regressar como famoso cavaleiro e príncipe. E os amigos de antes, por outro lado, esperavam poder voltar a viver à larga, à custa de seu esbanjamento.

Ele, porém, perambulava, pensativo, com o coração dorido, como se tivesse sido ferido por uma flecha. Sua alma estava vazia e temerosa. O medo e o tormento o faziam vagar, pois ele reconhecera a vanidade de seus sonhos e de suas esperanças, mas não havia ninguém que lhe apontasse o caminho da salvação. Naqueles dias, Francisco deve ter sofrido a miséria de todo aquele tempo na própria alma; a tristeza e a agonia o devoravam de tal forma que seu coração ferido clamava aos céus por salvação. Ao lutar, sofrer e desesperar daquela forma por sua vida, não se dava conta de que milhares na Terra sofriam as mesmas dores e bradavam de porões escuros como prisioneiros, e não sabia nem intuía que estava sofrendo e lutando pela salvação de todos eles.

Os antigos amigos e comensais lhe propuseram que preparasse um banquete e de novo lhes servisse de anfitrião e rei da festa, divertindo-se com eles como costumava fazer. Para satisfazê-los, Francisco convocou-os para determinado dia e preparou uma refeição rica e suntuosa. Quando os convidados chegaram, aclamaram-no senhor e rei do banquete e, como então era o hábito folgazão, puseram-lhe na mão um bastão à guisa de cetro. Comeram e beberam, com prazer e estrépito, risadas e tilintar de copos até altas horas da noite, quando, ébrios e animados, percorreram as vielas adormecidas a gritar e a cantar. Depois de algum tempo, perceberam que Francisco já não estava entre eles, procuraram-no e o encontraram em uma viela, calado e pensativo.

Acometeram-no então com zombarias e risadas; ele parecia transformado, pois naquela mesma hora a luz se fizera nele, e sua alma oprimida vislumbrou ao longe uma saída de sua prisão e de seus tormentos. Enquanto isso, os amigos, bêbados, o puxaram para si e o cercaram ruidosamente. "O que sonhas?", gritavam, zombando. "Que enigmas estás elucubrando, Francisco?" E um deles gargalhou e gritou: "Vede, amigos, não parece que está desejando uma mulher?" Ao ouvir tais palavras, a vítima da caçoada ergueu o rosto pálido, mas feliz, e disse com a voz clara: "Assim é, dizes a verdade. Estou pensando em unir-me a uma noiva, mas ela é muito mais nobre, rica e bela do que pensais e conseguis imaginar." E sorriu ao dizer isso.

Os amigos riram, foram-se e o deixaram ali, mas ele se desfez do estúpido cetro que ainda carregava e, ao largá-lo, despojou-se na mesma hora de toda a vida pregressa e da juventude desperdiçada. A bela e nobre noiva, no entanto, à qual se referira de maneira alegórica, era a pobreza, com quem decidiu se casar naquele momento.

Haverá quem, ao ler isso, ria e balance a cabeça como se se tratasse de um tolo, como fizeram os amigos de Francisco. Mas ele havia encontrado aquilo que saciaria seus ávidos anseios e que nem a sabedoria nem a Igreja nem os prazeres mundanos haviam conseguido proporcionar-lhe. Ao se lembrar dolorosamente de que o homem nada mais é que peregrino e hóspede efêmero nesta Terra, errando entre a vida e a morte sem jamais ter segurança de posse alguma, lançou-se ao seio de Deus com renovado desejo de amor e, a partir de então, empenhou-se apenas em encontrar o caminho para a vida por meio da simplicidade e do ardor de seu coração. A seu olhar nostálgico e indagador mostrou-se a imagem do Salvador e de seus primeiros discípulos. Então Francisco decidiu ser como eles, despojado de todas as amarras, passando a pertencer não às leis, mas unicamente ao amor, entregando-se qual uma criança à mão de Deus, que dá alimento aos animais do campo e aos pássaros do céu.

Essa coragem confiante de, em meio à penúria, não escolher nenhum outro guia além de Deus foi o que o santificou e o tornou um consolador e salvador para inúmeras outras pessoas. Assim, ele encontrou o que nenhum sacerdote ou estudioso da época havia encontrado: o caminho perdido de volta a Deus, e, por isso, não ficou vagando pela Terra, mas, ao contrário, ganhou-a novamente de presente, pois sua natureza inculta de poeta obteve a graça de reencontrar a unidade perdida do mundo ao abraçar o tempo e a eternidade com o mesmo amor puro.

A partir de então, o filho do rico senhor Bernardone deixou de ser visto na companhia dos jovens nobres a jogar ou na boa vida e passou a viver solitário ou entre os pobres e miseráveis. Ele não só presenteava generosamente os mendigos, como também costumava conversar com eles, consolando-os com carinho. Sim, a força de seu amor humilde o impelia para os mais simples e desprezados. Certa vez, passeava a cavalo e, ao ver um leproso deitado à beira da estrada, obedeceu de início à repugnância natural e deu meia-volta; mas logo depois se envergonhou daquela atitude, voltou pelo mesmo caminho, apeou, deu suas roupas ao leproso, conversou com ele e estendeu-lhe a mão. A partir de então, manteve-se fiel aos mais miseráveis e, como nenhuma doação ou ação bondosa se perde nem fica sem recompensa e eco, os rejeitados premiaram com tanta gratidão seu coração ainda inseguro e muitas vezes desesperançado, que ele se sentiu reconfortado e encontrou verdadeiro consolo junto a eles, enquanto seus amigos e até seu pai o chamavam de louco.

Entrementes, sua consciência ainda intranquila o induziu a peregrinar a Roma. Ao chegar à cidade, ofereceu como oblação tudo o que levava consigo na Catedral de São Pedro, trocou seus trajes com os de um mendigo e tomou seu lugar. Logo viu que em vão buscava salvação em Roma, junto ao luxo da cúria papal; em vez disso, vestindo os trapos do mendigo, provou pela primeira vez a verdadeira pobreza e decidiu continuar fiel a ela.

Quando voltou de Roma, Francisco continuou solitário e passava a maior parte do tempo na Capela de São Damião, situada num monte das cercanias da cidade de Assis. Ali, em meio à ardente luta interior e a orações, encontrou coragem e felicidade e decidiu livrar-se totalmente de todo o seu passado, confiar apenas em Deus e começar vida nova. A partir desse momento, foi invadido por grande alegria, assumindo sem medo todas as humilhações e dores, pois tempos difíceis estariam pela frente.

Vendeu tudo o que ainda lhe pertencia, inclusive o cavalo, e entregou o dinheiro ao pároco da capela, que estava abandonada e em ruínas. Ele próprio permaneceu junto ao sacerdote e começou a reforma com as próprias mãos, pois ainda não encontrara outra maneira de demonstrar amor a Deus e ofertar-lhe sua vida. Escondia-se do pai, que não aceitava aquela situação e usava a violência para tentar convencê-lo a voltar. Francisco vivia escondido até que, certo dia, sentiu-se envergonhado e foi até Assis para conversar com ele. Em todas as vielas, as pessoas que haviam ouvido falar de sua nova natureza o seguiam com caçoadas, pois simplesmente acreditavam que Francisco havia perdido o juízo.

Debaixo da gritaria e da zombaria do povo, foi procurar o pai. O senhor Bernardone, exasperado, agarrou Francisco, espancou-o, torturou-o e encarcerou-o num canto escuro da casa. Depois de alguns dias, com a ajuda da mãe, Francisco conseguiu escapar. Mas logo o senhor Bernardone o denunciou às autoridades, que, por sua vez, encaminharam-no ao tribunal religioso. Assim, Francisco foi convocado a comparecer determinado dia perante o tribunal do bispo. Quando chegou, obediente e feliz, encontrou a cidade inteira ali reunida, algumas pessoas por curiosidade, outras apenas para zombar dele. Como o senhor Bernardone, movido pela ira, o expulsara de casa e o deserdara, Francisco se despojou humildemente das roupas que pertenciam ao pai e as devolveu; então, nu, professou seu propósito de pertencer apenas ao Pai no céu. Naquele momento ninguém foi capaz de zombar dele, e o bispo, espantado com tanta coragem e fé, cobriu o homem nu com o próprio manto.

Assim foi o matrimônio de Francisco com a pobreza sagrada. Finalmente, havia encontrado o tesouro que buscara durante tantos anos: a harmonia de seu ser com Deus e o mundo. Dali em diante, nenhuma preocupação exterior o abalava; entregou-se à proteção de Deus como uma criança e não falava com Ele como um espírito longínquo e nunca visto, mas como um pai presente, amoroso e próximo.

E, como desde pequeno fora poeta, sonhador e cantor, a partir de então jorrou de sua alma liberta um novo manancial, transbordante de alegrias e canções. Suas composições não foram registradas por ninguém, e apenas uma se conservou até nossos dias. Mas penetravam pelo país, levando consolo e alegria de viver para milhares de corações desolados, despertando ânimos cansados e desalentados para um novo prazer, penetrando profundamente nos ouvidos do povo e criando um ardor como poucos cantores jamais conseguiram.

Intimamente feliz com a liberdade conquistada, Francisco percorria os vales e as verdes colinas de sua terra, abençoado e bem-aventurado. A beleza desta Terra revelou-se ao seu amor pueril e afetuoso como um mundo renascido e transfigurado: as árvores em flor, a relva macia, as águas correntes e cintilantes, as nuvens que passavam pelo azul-celeste e o canto de alegria dos pássaros tornaram-se seus amigos fraternos. Pois de seus olhos e de seus ouvidos caíra um véu, e ele enxergava o mundo purificado e sagrado, transfigurado como nos primeiros dias do esplendor do Paraíso.

E não foi alucinação, embriaguez nem ilusão fugaz, pois, a partir daquele dia, mesmo em tempos amargos, difíceis e muito dolorosos, Francisco continuou sendo até o fim um bem-aventurado e eleito, que ouvia a voz de Deus em cada caule, em cada riacho, e sobre ele a dor e o pecado não tinham poder nenhum. Foi por isso que, ao longo dos séculos, incontáveis pessoas o amaram e o veneraram, sua imagem e a história de sua vida foram mil vezes representadas, contadas, cantadas e esculpidas por artistas, poetas e estudiosos, como nenhuma imagem ou nenhum feito de príncipes e poderosos, e seu nome e sua reputação chegaram aos nossos tempos como um cântico da vida e consolo divino, e o que ele disse e fez ressoa hoje com tanto vigor como em sua época, há setecentos anos. Houve outros santos, cuja alma não era menos pura e nobre, todavia nos lembramos menos deles; ele, porém, era uma criança e um poeta, mestre e professor do amor, amigo humilde e fraterno de todas as criaturas. E, se os homens se esquecessem dele, as pedras e as fontes, as flores e os pássaros dele falariam. Porque, como verdadeiro poeta, ele conseguia livrar todas essas coisas do encanto que o pecado e a insensatez sobre elas pousara, revelando-as em sua beleza pura e original diante de nossos olhos.

Por essa época, Francisco se empenhava com afinco em terminar a reforma da Capela de São Damião. Andava por sua cidade natal como um mendigo, e a todos pedia dinheiro ou pedras para a reconstrução; embora muitos o insultassem, outros atendiam a seu pedido, e ele conseguiu terminar a obra. Também saía a pedir azeite para a lamparina do altar. Certa vez, em seus trajes de mendigo (doados por compaixão pelo jardineiro do bispo), entrou numa casa em que todos os seus antigos camaradas se banqueteavam. Assaltado pela vergonha, deu meia-volta, mas logo se armou novamente de coragem, voltou e, com muita gentileza e modéstia, pediu aos antigos amigos e alegres companheiros de copo uma contribuição para a casa de Deus, sem esconder sua fraqueza de pouco antes e seu arrependimento. E fez isso de modo tão honesto que eles não conseguiram tratá-lo de outra forma senão com gentileza.

Também entre os demais moradores da cidade havia muitos para quem seu atual modo de ser já parecia apenas pura tolice e insensatez, mas nele encontravam uma saudação divina e uma luz sagrada, que recebiam com mansuetude e respeito. Os leprosos miseráveis, de quem Francisco se aproximara como fidalgo e cavaleiro, levando ricas dádivas, não o amavam menos agora, quando ele os visitava na condição de irmão pobre. No entanto, muitos cidadãos continuavam a persegui-lo com escárnio e ofensas; seu pai e seu próprio irmão também o desprezavam e insultavam sempre que podiam. Ambos se envergonhavam dele.

Depois de concluir a reforma da capela, Francisco se voltou para a igrejinha de Porciúncula, que também necessitava de cuidados e restauração. E, assim como muitas vezes se observa que o coração de uma pessoa se dedica com especial amor a determinado lugar, Porciúncula tornou-se seu lugar preferido pelo resto da vida, para onde sempre regressava quando estava em busca de silêncio, consolo, novos sonhos e canções. Também, com muito esforço, ajudou a reformar aquela igreja pequena e modesta. E foi naquele santuário que ouviu com mais nitidez a voz de Deus e vislumbrou o objetivo de sua vida. Percebeu ali que obras externas, como as que fizera na capela e na igreja, não bastavam ao grande anseio de seu coração. Então, ecoaram nele as palavras do Senhor: "Ide e pregai que o reino dos céus se aproxima." Assim, seu coração bateu mais forte, e ele viu os povos da Terra passando fome e sede, com as mãos erguidas para os céus, implorando uma mensagem de bondade e amor.

A partir de então, Francisco começou a pregar, e sua voz chegou, suave e forte, a todos os países, como um chamamento de amor e um cântico sedutor, estimulando a nostalgia sagrada e cumulando da luz do amor inúmeras almas tenebrosas e perdidas. Suas palavras não eram as de um fanático ou falastrão. Ele falava aos camponeses como camponês, aos citadinos como alguém da cidade e aos cavaleiros como cavaleiro; falava com todas as pessoas sobre o que lhe comovia o coração, e por toda parte falava como um irmão aos irmãos, como alguém que sofreu aos sofredores, como alguém que se curou aos doentes.

Começou a pregar em Assis. Falava onde quer que visse gente reunida, nos mercados e nas vielas, nos portões e nos muros dos jardins. Sua palavra era singela e bondosa;

não pedia a ninguém que fizesse algo que ele mesmo não estivesse disposto a fazer, levava a imagem do Salvador sobre o coração e a mostrava a todos: vejam, isto é humildade, vejam, isto é paciência, vejam, isto é amor! Tais palavras tocavam o coração de muitos, obrigando-os a refletir e a meditar, e uma veneração silenciosa começou a envolver o pregador, pois de sua personalidade e sua fala emanava força e calor, como de uma constelação benfazeja e clara. Sua prédica era diferente das prédicas dos sacerdotes, pois não tinha como mestres e exemplos os livros, os doutores da Igreja, os oradores e os retóricos, mas unicamente seu coração ardente, os pássaros do céu e as canções dos cantores itinerantes. Tampouco pedia reverência à sua pessoa; ao contrário, submetia-se de bom grado a qualquer um, oferecendo seus serviços. Mas seu semblante era alegre, pleno de bondade, e seu olhar brilhava com uma chama constante e pura. Cativava qualquer alma com seriedade e sedução cordial, parábolas e canções, tal como um enamorado chama a amada e como uma mãe se ocupa constantemente de seus filhos. E, quando terminava de falar, ninguém o via afastar-se arrogante e ocioso, mas todos podiam notar que ele levava vida dura, trabalhava arduamente, doando-se a todos os necessitados e frequentando com destemor o leprosário dos pobres.

Depois de algum tempo, Francisco passou a ter a companhia de um camarada e irmão sobre o qual nada é relatado. Então, certo dia, o senhor Bernardo de Quintavalle aproximou-se e lhe pediu que passasse uma noite conversando com ele. Esse senhor Bernardo era um cidadão distinto, muito rico e de grande reputação. Francisco conversou com ele a noite inteira, usando palavras bondosas e sérias; depois disso, Bernardo vendeu todos os seus bens, distribuiu o que ganhou entre os pobres e passou a acompanhar Francisco. Este construiu para si e para seus dois discípulos choupanas simples de palha ao lado da Porciúncula. Logo depois chegou um jovem chamado Egídio, e todos eles, juntos ou separados, começaram a percorrer a região da Úmbria. Trabalhavam aqui e acolá nos campos, e, em vez de dinheiro, recebiam apenas uma refeição modesta; depois do trabalho, falavam com as pessoas, pregavam e entoavam suas canções.

Era por isso que Francisco gostava de denominar-se e a seus irmãos *joculatores Domini*, ou seja, jograis do Senhor, apresentando-se como trovador e cantor peregrino de Deus. Esse com certeza foi o período mais alegre de sua vida. Hóspede e peregrino, perambulava como músico ou pássaro cantor, pronto a servir qualquer um, de coração jubiloso, e a conceder a todos bondade e consolo, ajuda e conselhos, esforçando-se com os trabalhadores e usando palavras gentis para com os tristes e canções animadas para com os alegres. Por sua pobreza voluntária, o povo logo passou a chamá-lo carinhosamente de "il Poverello",* como é conhecido até os dias de hoje.

---

* O pobrezinho. *(N. da T.)*

No entanto, não lhe faltaram momentos difíceis nem acusações. As famílias dos jovens que haviam seguido Francisco acusavam-no de seduzir a juventude e desprezar o amor filial; outros temiam perder seus filhos para ele. Porém, os confrades enfrentavam hostilidades e desprezos com silêncio e humildade, e em toda a região da Úmbria houve assombro e comoção por parte do povo a favor daqueles homens. Muitos os acolhiam e os abrigavam com tanta gentileza que eles ficavam gratos, porém jamais aceitavam dinheiro ou outros bens que lhes fossem oferecidos. Permaneciam na pobreza de Cristo, confiando apenas a Deus a preocupação de cada dia.

Após suas andanças, os confrades sempre regressavam a Porciúncula, que ficava perto de Assis, onde buscavam reconforto e regozijavam-se de todo o coração por seu amor e amizade. Já eram doze, então.

Até então, Francisco não tivera outro objetivo senão atender aos anseios de sua alma e regozijar-se na devoção ilimitada a Deus, fazer o bem aos homens e pregar a mensagem do amor. Mas agora tinha reunidos à sua volta onze discípulos e amigos que, como ele, haviam deixado casa e posses para sair ensinando e pregando. Vez por outra, os clérigos os olhavam com temor e proibiam suas pregações. E, na verdade, o modo de agir e ensinar dos confrades podiam parecer heresia a muitos, que viam neles a índole e as ações dos valdenses, do Norte.

Isso tudo começou a pesar no espírito de Francisco. Seu coração inocente, que ele seguira com singela confiança, tinha agora de guiar inúmeros discípulos, e sua alma ardente de amor seria responsável por todos os irmãos que atraía. Ele jamais tinha pensado ser herege, profeta ou inovador, pois sua mente simples de criança seguia as ordens da Igreja com fé leal. Mas agora emanava dele um poder mais forte do que o dos padres, e uma comunidade crescia ao seu redor, como que arrancada da Igreja que ele, no entanto, venerava como mãe. Ao reconhecer esse fato, ele foi assaltado por preocupações tenebrosas, que não o abandonavam. Dali em diante, passou a sentir a grandeza de seu poder como um peso, pois sua intenção era a de amar toda a humanidade e doar-lhe a abundância de seu amor, e não governá-la. Como o mais humilde de todos os homens poderia ser amo e senhor de uma comunidade?

Visto que não encontrava consolo para essas preocupações, resolveu rumar para Roma, a fim de pedir permissão e boa vontade para si e seus irmãos junto à corte papal. Para tanto, pôs-se a caminho com seus companheiros, mas não elegeu a si mesmo como guia da viagem, e sim frei Bernardo de Quintavalle. Assim, foram a Roma.

Isso aconteceu no ano da graça de 1210, e naquele tempo reinava em Roma o papa Inocêncio III. Este, no entanto, era o contrário de Francisco em quase tudo, mas não necessariamente no mau sentido. Faltavam-

-lhe apenas o amor e a mansuetude, pois não era um pastor amável, e sim um guerreiro e senhor poderoso, que administrava com firmeza a Igreja Romana, tantas vezes ameaçada; renovara sua glória e a elevara a poder mundial. Assim, era um milagre de Deus que, na mesma época, um papa combativo salvasse a Igreja da perda de poder e a exaltasse, ao mesmo tempo que o bondoso e modesto úmbrio lhe conferia um novo espírito de amor.

Em Roma não foi pequeno o espanto causado por aqueles doze homens de Assis, que não desejavam nenhuma outra graça ou favor senão o de levar vida de pobreza e poder pregar o ensinamento do Salvador sem remuneração. Mesmo assim, o papa e o cardeal Giovanni di San Paolo reconheceram o imenso poder que havia naqueles homens pobres e ignaros, e o Santo Padre começou a refletir seriamente sobre a questão. Francisco prescrevia aos irmãos uma regra breve e simples, composta apenas por trechos do Evangelho: para ela, foi pedir aprovação do papa, pregando com ousadia e grande fervor diante dele. Apesar disso, o papa não conseguiu se decidir, e os confrades tiveram de submeter-se a uma longa espera, foram interrogados e advertidos várias vezes e quase perderam a coragem. Mas, ao final, o cardeal Giovanni fez um discurso diante do Santo Padre, em que declarava ser impossível a Igreja não confirmar uma regra baseada simplesmente nas palavras do Evangelho. Então, o papa Inocêncio deixou de resistir e abençoou Francisco, elogiando-o e autorizando-o a continuar agindo e pregando daquela maneira.

Felizes por saírem da magnificente cidade de Roma e da corte papal, os amigos começaram a viagem de regresso e, embora tivessem quase desfalecido por falta de água e alimentos ao atravessarem a quente Campagna Romana, alegraram-se com a liberdade e com a fraternidade. Fiéis a seus costumes, demoraram-se aqui e acolá em cidades e aldeias, trabalhando, cantando e pregando. Em nada diferente da primavera e do mês de maio nascente, aquela comunidade de alegres peregrinos passava pelas regiões espalhando consolo e vida e despertando em muita gente a intuição de Deus e o rejuvenescimento da alma.

Quando chegaram perto de Assis, escolheram uma cabana vaga chamada Rivo Torto* para ser sua morada. Ali, na encosta da montanha, havia uma região solitária e selvagem onde Francisco muitas vezes costumava passar vários dias seguidos a rezar e meditar, pois, mesmo detestando profundamente o ócio e dedicando todas as suas forças a servir o próximo, seu ânimo sensível e delicado sofria muito todos os dias ao ver a miséria humana. Desse modo, costumava retirar-se na solidão para permitir que seu coração cansado descansasse e rejuvenescesse nas fontes da vida.

---

* *Rivo* = riacho; *torto* = torto. Hoje o nome da localidade é grafado como Rivotorto. *(N. da E.)*

Rejuvenescer diariamente na vida da natureza e haurir energias da terra é uma arte magnífica e maravilhosa que se encontra apenas em poetas e verdadeiros santos, e ele sempre a praticou com incomparável maestria. Como uma criança e como um sábio, ele falava com as flores, a relva, as águas e inúmeros animais, entoava cânticos em louvor a eles, amava-os e consolava-os, alegrava-se com eles e participava de sua vida inocente. Apenas aos diletos de Deus é concedido que a mente e o coração não envelheçam e se mantenham a vida inteira com o frescor e a gratidão de crianças. A bondade verdadeira e pura do coração é como um segredo mágico de Salomão, que revela aos homens a linguagem dos animais e a essência íntima de plantas, árvores, pedras e montanhas, de tal forma que a múltipla criação se abre diante de seus olhos como uma unidade completa, sem abismos e reinos de sombra ocultos e hostis. Sendo um eleito de Deus, Francisco compreendia a beleza da Terra como raras vezes outro poeta a compreendera, amava cada criatura, pequena ou grande, e elas o amavam e lhe davam respostas. Quando se cansava de falar com pessoas, ia aos campos, às matas e aos vales e ouvia nas fontes, nos ventos e no canto dos pássaros a poderosa e doce linguagem do Paraíso. Sabia muito bem que não havia nada sobre a Terra que não tivesse alma, e ia ao encontro de cada alma, mesmo a da relva e das pedras, com fraternal respeito e amor.

Francisco não era, de forma alguma, um penitente triste nem misantropo. Gostava de palavras espirituosas, de alegria e animação e, mesmo nos dias de maior sofrimento, jamais se amuou com ninguém.

Quando se soube em Assis que ele conseguira o consentimento do papa para pregar, o povo foi tomado de imenso desejo de ouvi-lo, e ele teve de falar na catedral (pois as outras igrejas eram demasiado pequenas). Assim, o poder de seu ardor arrastou a grande multidão como um vento de tempestade. Naquele tempo, estava novamente em curso um forte conflito entre o povo miserável e os aristocratas e senhores de Assis. As palavras e o exemplo de Francisco tiveram um efeito tão poderoso, e já era tão grande o número de seus seguidores leais, que se decidiu designá-lo como árbitro entre os partidos em luta. Toda a cidade obedeceu voluntariamente a seu veredicto clemente, com o qual ele pacificou os inimigos e conseguiu vantagens para pobres. Entre a aristocracia e o povo foram firmados e cumpridos lealmente um acordo e uma aliança. Muitos exilados regressaram, e a cidade foi tomada por gratidão e alegria. Cada vez mais gente se juntava aos companheiros de Francisco. Ele chamou sua irmandade de Ordem dos Frades Menores ou dos Minoritas. O povo o amava e o venerava cada vez mais, e muitos já naquele tempo o chamavam de santo.

Foi-lhe dada a igrejinha de Porciúncula. Ao lado dela, os frades, que eram mais numerosos a cada dia, construíram pequenos casebres para morar. Veneravam seu líder como senhor e pai, mas ele não pretendia governar e promulgar leis, deixando cada um agir à sua maneira.

Quem dominava um ofício o exercia; quem tinha o dom de falar pregava; e aquele cuja mente buscava o silêncio em Deus procurava a solidão. Havia uma floresta perto de Porciúncula, e nessa floresta os frades se reuniam para conversar com Francisco e entre si. De vez em quando chegava um hóspede, saudava Francisco e dizia ter sido tomado pelo desejo de se tornar frade. E isso era possível a qualquer um, sem necessidade de provas, desde que desse seus bens aos pobres, ficasse sem nada para si e fizesse voto de pobreza. Havia camponeses, burgueses e aristocratas, até mesmo padres, entre os confrades, homens cultos e incultos, finos e rústicos. Todos viviam como irmãos, um a serviço do outro.

No ano da graça de 1212, quando Francisco pregava ao povo na catedral de Assis, havia entre os ouvintes uma jovem da nobre casa dos Sciffi, chamada Clara. As palavras dele tocaram tão profundamente seu coração que ela quis lhe falar e, logo em seguida, abriu mão de tudo o que possuía e se pôs a seu serviço. Como não conhecia outro lugar para abrigá-la, Francisco levou-a a um convento dos beneditinos. Mas logo chegaram outras mulheres com o mesmo anseio, e assim surgiu uma irmandade feminina que instalou sua sede na Igreja de São Damião e cujos serviços eram dedicados sobretudo aos doentes. A comunidade cresceu cada vez mais, e logo eram várias centenas de frades e freiras.

A partir de então, o crescimento e a direção do Ordem dos Minoritas consumiram as melhores forças de

Francisco, de modo que há pouco para relatar sobre sua pessoa. No entanto, foi transmitida boa quantidade de historietas e lendas sobre ele, registradas por seus companheiros. Várias dessas historietas serão contadas no próximo capítulo, e o restante da história da Ordem dos Franciscanos deve ser lida nos registros da Igreja, pois não cabem neste relato.[1]

Muitas histórias e lendas contam como era grande o amor de Francisco pelos animais, em especial pelos pássaros. De Siena, certa vez, ele trouxe rolinhas, construiu ninhos para elas e, ao lado de frades e amigos, deleitava-se com aquelas aves. Em outra ocasião, um pescador lhe deu um belo peixe que acabara de pescar. Francisco agradeceu, pegou o peixe e jogou-o imediatamente de volta na água. No convento de Rieti moravam muitos pássaros com os quais os minoritas precisavam manter boa relação.

Francisco se tornara pai de milhares deles e carregava pesadas preocupações, o que muitas vezes o deixava morto de cansaço. Nem por isso diminuíram nele o amor e a disposição para oferecer ajuda, mas seu coração aflito fugia com mais frequência e intensidade do que antes para o silêncio e a solidão.

---

[1] Recomendam-se enfaticamente as duas obras mais maduras e nobres da moderna literatura franciscana: P. Sabatier, *La vie de St. François d'Assise* [*A vida de são Francisco de Assis*], e H. Thode, *Franz von Assisi und die Anfänge der Kunst der Renaissance in Italien* [*Francisco de Assis e os primórdios da arte da Renascença na Itália*].

No verão do ano de 1224, tomado por sombrias preocupações e, talvez, com o pressentimento da morte, foi até o Monte Alverne, que ele amava. Estava tão cansado que, ao contrário do que normalmente fazia, precisou ir montado numa mula. Quando chegou à montanha, coberta de grandes florestas, foi saudado por inúmeros pássaros, que lhe pousaram nos ombros e nas mãos, até que ele lhes desse a bênção e os despedisse. Até as criaturas irracionais sentiam seu amor e não tinham medo dele.

Então deixou para trás os três irmãos que o haviam acompanhado, foi sozinho até a floresta, construiu uma pequena cabana e permaneceu ali, com seus pensamentos sagrados, durante um bom tempo. Contam as lendas que lá lhe apareceu o Senhor crucificado e conferiu a seu corpo os estigmas sagrados. Pouco tempo depois, Francisco foi acometido por maior fraqueza e por uma doença dolorosa dos olhos, que o manteve muito tempo prostrado perto da Igreja de São Damião. Apesar de todas as dores, sorria constantemente, louvava e glorificava Deus e, quando jazia sozinho e cego em seu casebre, entoava cânticos entusiasmados. Ali também escreveu *Cântico do irmão sol*.

Em seguida, levaram-no ao Monte Colombo e a Rieti. Seu sofrimento se agravara, e os médicos não conheciam outra solução senão queimar sua testa com ferro incandescente. Quando se aproximaram de seu leito com a terrível ferramenta, o doente saudou o fogo e bradou: "Ó irmão fogo, és tão belo entre todas as criaturas, e sempre te amei; por isso, sê misericordioso comigo agora!" Dito isto, pediu a um frade que tocasse alguma música, mas o frade ficou temeroso e resolveu não o fazer. Então Francisco ouviu na noite um anjo de Deus tocar melodias doces e indescritivelmente deliciosas do Paraíso.

Como era inverno, e o doente tinha frio, um frade lhe trouxe uma pele de raposa e quis costurá-la por dentro de seu hábito. Mas ele ordenou que a costurasse de tal maneira que qualquer pessoa a visse, para que ele não fosse considerado um hipócrita.

Sentiu, então, que seu fim estava próximo e, em grande sofrimento, pediu que o levassem de volta a Assis. No leito de morte, ainda ditou uma carta em que, de joelhos e com o coração transbordante, suplica a toda a humanidade que pense em sua própria alma. Começa assim: "Eu, irmão Francisco, vosso humilde servo e pronto a beijar-vos os pés, peço-vos e suplico-vos que aceiteis estas palavras pelo amor que é Deus mesmo!"

Ao perguntar a seu médico quanto tempo de vida lhe restava, e tendo este lhe respondido que era muito pouco, ele estendeu os braços e disse: "Sê bem-vinda, irmã morte." Então começou a cantar, e os irmãos presentes tiveram de cantar com ele.

Pouco tempo antes de seu fim, pediu que o levassem a Porciúncula, que considerava sua pátria amada. Ali ficou deitado, à espera da morte, sorrindo e cheio de bondade, e ainda disse algumas palavras de consolo aos companheiros. Pediu que cantassem mais uma vez para ele a canção *Laudes creaturarum* e deu-lhes a bênção; também abençoou os irmãos e as irmãs distantes e todas as pessoas, fazendo com que de seu leito de morte fluísse um rio de amor. Morreu em seguida, no dia 3 de outubro de 1226, no fim da tarde. E, no momento em que ele se foi, uma grande revoada de cotovias baixou no telhado de seu casebre, entoando sonoro canto.

Lendas

*São Francisco explica a frei Leão
o que é perfeita alegria*

Certa vez, em pleno inverno, são Francisco caminhava de Perúgia para Santa Maria dos Anjos com o frei Leão, padecendo muito com o frio rigoroso. Então, chamou o frei Leão, que ia à sua frente, e lhe disse:

— Frei Leão, mesmo que por toda parte nossos irmãos deem grande exemplo de santidade e edificação, escreve e tem em mente que não é nisso que se encontra a perfeita alegria.

E, depois de fazer mais um trecho do caminho, continuou:

— Ó frei Leão, se nossos irmãos curassem os cegos e os aleijados, expulsassem os demônios, fizessem os surdos ouvir, os paralíticos andar e os mudos falar e, mais ainda, despertassem os mortos para a vida depois de quatro dias — escreve! — isso tampouco seria a perfeita alegria.

E, depois de mais algum tempo, bradou:

— Ó frei Leão, se os minoritas conhecessem todas as línguas e todas as ciências para poder vaticinar não apenas as coisas futuras, mas também revelar os segredos dos corações e das mentes — escreve! —, isso tampouco seria a perfeita alegria.

E, continuando a andar, são Francisco exclamou:

— Ó frei Leão, cordeiro de Deus, se nossos irmãos falassem a língua dos anjos e conhecessem o caminho das estrelas e a força das plantas, se todos os tesouros da Terra lhes fossem revelados e se eles conhecessem as forças dos pássaros e dos peixes, assim como de todos os animais e das pessoas, das árvores e dos minérios, das raízes e das águas — escreve! —, ainda não seria a perfeita alegria.

E outra vez continuou caminhando e disse:

— Frei Leão, se nossos irmãos soubessem pregar tão bem a ponto de converter todos os incrédulos — escreve! —, tampouco isso seria a perfeita alegria.

Assim, conversando, haviam caminhado duas milhas, quando frei Leão, muito admirado, perguntou-lhe:

— Pai, suplico-te pelo amor de Deus que me digas o que é a perfeita alegria.

E são Francisco lhe respondeu:

— Chegaremos a Santa Maria, encharcados de chuva e enregelados, cobertos de sujeira e mortos de fome, e bateremos à porta, e o porteiro ficará furioso e perguntará: "Quem sois?" E nós responderemos: "Somos dois irmãos vossos." E, se ele retrucar: "O que dizeis é mentira, sois dois vagabundos que perambulam, enganam as pessoas e roubam as esmolas dos pobres! Ide embora!" E, se não nos abrir a porta, mas nos deixar do lado de fora na neve e na chuva, com fome e frio até de noite, e se suportarmos tal injustiça e abuso com paciência, sem ira, e se pensarmos que o porteiro tem razão em nos identificar como indignos e que Deus o mandou falar daquela maneira, então, frei Leão, escreve que essa é a perfeita alegria. Ouve, pois, frei Leão! Superar-se e, por amor ao Salvador, suportar punição, ofensas e sofrimento é a maior de todas as bênçãos do espírito que Cristo concede aos seus.

Como são Francisco respondeu a frei Masseo

Certa vez, são Francisco ficou no convento de Porciúncula com frei Masseo de Marignano, de quem gostava muito. Um belo dia, quando são Francisco parou à beira do bosque onde estivera rezando, encontrou-se com frei Masseo; este, querendo pôr à prova sua humildade, encarou-o e disse, em tom de repreensão:

— Por que tu? Por que tu? Por que tu?

São Francisco respondeu:

— O que significa isso que dizes?

Disse frei Masseo:

— Significa: por que o mundo inteiro te segue, por que, ao que parece, todos desejam ver-te, ouvir-te e servir-te? Teu corpo não é especialmente belo e atraente, tampouco és versado nas ciências, nem és da alta nobreza. Por que então o mundo inteiro corre atrás de ti?

Quando são Francisco ouviu isso, seu espírito se alegrou muito, e ele voltou o rosto para o céu e ficou parado naquela posição algum tempo, enquanto sua alma buscava abrigo junto a Deus. Em seguida, ajoelhou-se, exaltou Deus com gratidão e louvores, voltou-se com grande felicidade para frei Masseo e lhe disse:

— Queres saber por que eu? Por que eu? Por que eu? Por que o mundo inteiro corre atrás de mim? Isso me foi dado por Deus, cujos olhos reconhecem em toda parte os bons e os maus e, entre todos os pecadores, os seus olhos sagrados não encontraram ninguém pior, menor e mais pobre que eu. Para completar sua obra milagrosa, Deus não encontrou criatura mais fraca sobre a Terra. Por isso, escolheu a mim, a fim de envergonhar a magnificência e a sabedoria do mundo, para que reconheçam que todo o poder e toda a bondade emanam apenas d'Ele, e não da criatura, e para que ninguém se gabe e queira ser maior.

Ao ouvir aquilo, frei Masseo ficou admirado e teve certeza de que a humildade de são Francisco era genuína e pura.

São Francisco dá ordens às andorinhas
e prega aos pássaros

São Francisco chegou ao castelo de Savurniano e preparava-se para pregar ali. Mas muitas andorinhas cantavam e faziam barulho no pátio. Então ele lhes ordenou que fizessem silêncio até que tivesse terminado de pregar, e as andorinhas lhe obedeceram.

Depois, foi para a região que fica entre Cannaio e Bevagna e, durante a árdua caminhada, ergueu os olhos e, à margem do caminho, viu muitas árvores sobre as quais havia multidões de pássaros. Isso deixou são Francisco muito admirado, e ele disse a seu companheiro:

— Espera aqui na estrada, quero ir e pregar a meus queridos irmãos, os pássaros.

Assim, internou-se no campo e começou a falar aos pássaros que ali estavam. Logo vieram também alguns passarinhos das árvores, todos fizeram silêncio até que ele terminasse a prédica e só saíram voando depois de receberem sua bênção. Então, conforme contou depois frei Masseo, são Francisco passeou entre os pássaros, tocou na cabeça deles e os acariciou sem que nenhum deles saísse voando.

São Francisco ainda lhes pregou especialmente com as seguintes palavras:

— Passarinhos, meus irmãos, deveis sempre e em todo lugar louvar a Deus, pois Ele vos deu liberdade para que possais voar e flutuar à vontade, e também vos deu um bom e belo traje. Além disso, deu-vos o elemento do ar, pelo qual deveis ser-Lhe gratos. Pois não semeais e não colheis, e Deus vos alimenta e vos dá de beber os rios e as fontes, e ainda vos dá como refúgio as montanhas, os vales e as árvores altas para que possais construir vossos ninhos. Vosso Criador gosta imensamente de vós, portanto agradecei-Lhe e louvai-O sempre com fervor.

Enquanto são Francisco assim falava, todos os pássaros abriram o bico, esticaram o pescoço, estenderam as asas, inclinaram a cabecinha para o chão e lhe disseram com movimentos e trinados que ele lhes dera grande alegria. E são Francisco ficou feliz com todos eles, deleitando-se com a multidão de pássaros, com sua beleza e diversidade, sua confiança e atenção, louvando e venerando o Criador através deles.

São Francisco interpreta uma visão para frei Leão

Certa vez, são Francisco adoeceu gravemente, e frei Leão cuidava dele. Ocorreu então que esse frade teve uma visão, na qual viu em espírito um rio largo e caudaloso. Ao observar quem atravessava aquele rio, notou que vários frades de sua ordem entravam na água e logo eram arrastados pela força da correnteza e se afogavam. Alguns chegaram até um terço do rio, outros até metade, outros até bem perto da margem, mas todos foram levados, tanto por causa da força da correnteza quanto porque cada um carregava seu fardo nas costas. Quando frei Leão viu aquilo, sentiu profunda compaixão pelos irmãos. Mas, enquanto ainda olhava, chegou de repente um grupo de frades que não carregava fardo nenhum, entrou no rio e conseguiu atravessá-lo, incólume.

Depois desse sonho, frei Leão despertou. E, depois de contar sua visão a são Francisco, este lhe disse:

— O que viste é verdadeiro. O grande rio é o mundo. Os frades que nele se afogaram são aqueles que não foram fiéis ao voto de pobreza. Já aqueles que o atravessaram sem esforço são os irmãos que não buscam nem possuem bem algum neste mundo. Por isso, conseguem passar tão facilmente para a eternidade.

O falcão de são Francisco no Monte Alverne

Quando o abençoado Francisco estava no Monte Alverne, no período mais doloroso e sagrado de sua peregrinação, morando sozinho numa cabana, doente e muito fraco, não conseguia acordar cedo para a oração matutina. Contudo, todas as manhãs, na hora certa, aparecia um falcão que, para despertá-lo, cantava e batia na cabana, não saindo dali enquanto são Francisco não se levantasse para a oração. Mas, quando ele se sentia muito cansado e doente, o falcão cantava um pouco mais tarde, como se fosse um ser sensato e compassivo. E, mesmo durante o dia, são Francisco tinha uma relação amistosa com a nobre ave.

Quando deixou o Monte Alverne, são Francisco despediu-se cordialmente das rochas, das florestas e do irmão falcão, dizendo à montanha:

— Deus te proteja, Monte Alverne, adeus, e que a paz esteja contigo, ó montanha sagrada, pois nunca mais haverei de rever-te.

Laudes creaturarum

Quando são Francisco esteve doente em São Damião e ficou sob os cuidados de santa Clara, sofreu muito e sentiu a sombra da morte pairando sobre si. Mesmo assim, ainda tinha ânimo e disse:

— Um pequeno raio de sol é poderoso o bastante para clarear as trevas.

Cantava e fazia poesias durante o dia e à noite, pois se lembrava de toda a beleza da Terra, bem como do consolo e da graça que recebera de seu Senhor, dos muitos confrades e dos rios e das campinas onde, em solidão, Deus se lhe revelara; também se lembrava dos animais e dos pássaros que lhe haviam proporcionado alegria e deleite. E certo dia, em vez de orar, cantou uma canção em que pede a todas as criaturas que louvem a Deus. Era a canção *Laudes creaturarum*, também chamada de *O cântico do irmão sol* de são Francisco (entre todas as canções de Francisco, é a única que chegou até nossos dias). E são estas as palavras:

Altissimu onnipotente bon signore,
tue so' le laude, la gloria e l'onore et onne benedictione.
Ad te solo, Altissimo, se konfano,
et nullu omo ène dignu te mentovare.

Laudato sie, mi' Signore, cum tucte le tue creature,
spetialmente messor lo frate sole,
lo qual'è iorno, et allumini noi per lui;
et ellu è bellu e radiante cum grande splendore,
de te, Altissimo, porta significatione.

Laudato si', mi' Signore, per sora luna e le stelle,
in celu l'ài formate clarite et pretiose et belle.

Laudato si', mi' Signore, per frate ventu,
et per aere et nubilo et sereno et onne tempo,
per lo quale a le tue creature dài sustentamento.

Laudato si', mi' Signore, per sor acqua,
la quale è multo utile et umile et pretiosa et casta.

Laudatu si', mi signore, per frate focu,
per lu quale n'allumeni la nocte,
ed ello è bellu e iocundu e robustoso e forte.

Laudato si', mi Signore, per sora nostra matre terra,
la quale ne sustenta et governa
et produce diversi fructi con coloriti flori et herba.

Laudato si', mi' Signore, per quelli ke perdonano
    per lo tuo amore
et sostengo infirmitate et tribulatione;
beati quelli ke'l sosterranno in pace
ka da te, Altissimo, sirano incoronati.

*Laudato si', mi' Signore, per sora nostra morte
    corporale,
da la quale nullu homo vivente po skappare;
guai a cquelli ke morrano ne le peccata mortali;
beati quelli ke se trovarà ne le tue sanctissime voluntati,
ka la morte secunda no'l farrà male.*

*Laudate et benedicete mi' Signore et rengratiate
et serviteli cum grande umilitate.*

Traduzido:

Altíssimo, onipotente, bom Senhor,
teus são os louvores, a glória, a honra e todas
    as bênçãos.
Só a ti, Altíssimo, são devidos, e homem algum
    é digno de te mencionar

Sê louvado, meu Senhor, com todas as tuas
    criaturas,
especialmente o senhor irmão Sol,
que é o dia, e por meio dele nos iluminas.
E ele é belo e se irradia com grande esplendor:
de ti, Altíssimo, é ele a imagem.

Sê louvado, meu Senhor, por meio da irmã Lua
    e das estrelas:
no céu as formaste claras, preciosas e belas.

Sê louvado, meu Senhor, por meio do irmão vento,
e do ar, ou nublado ou sereno, em todo tempo,
pelo qual dás sustento às tuas criaturas.

Sê louvado, meu Senhor, por meio da irmã água,
que é muito útil e humilde e preciosa e casta.

Sê louvado, meu Senhor, por meio do irmão fogo,
com o qual iluminas a noite,
e ele é belo e alegre e vigoroso e forte.

Sê louvado, meu Senhor, por meio de nossa irmã a mãe Terra,
que nos sustenta e governa
e produz frutos diversos com coloridas flores e ervas.

Sê louvado, meu Senhor, por meio dos que perdoam por teu amor,
e suportam enfermidades e tribulações.
Bem-aventurados os que as suportarão em paz,
pois por Ti, Altíssimo, serão coroados.

Sê louvado, meu Senhor, por meio de nossa irmã, a morte corporal,
da qual homem algum pode escapar.
Ai dos que morrerem em pecado mortal!
Felizes os que ela achar conformes à Tua santíssima vontade,
porque a segunda morte não lhes fará mal.

Louvai e bendizei ao meu Senhor, e dai-lhe graças,
e servi-o com grande humildade.

Final

A vida de uma pessoa pura e nobre é sempre algo sagrado e maravilhoso de que emanam forças inauditas e de longo alcance. Na vida do *Poverello* de Assis, isso é visto com mais nitidez do que na da maioria dos outros heróis e grandes espíritos de eras mais antigas.

Mesmo de um ponto de vista superficial e externo, é fácil perceber que, ao longo dos séculos, em nenhuma região italiana jamais houve quem fosse tão amado e tão venerado quanto o humilde e modesto Francisco.

Foi ele homenageado principalmente pelos artistas, que o viam como um salvador e um instigador. Muitas vezes, uma criança fraca ganha coragem e forças quando é conduzida por um homem sábio e bondoso. Foi o que aconteceu com aqueles artistas, cujo ofício até aquele momento estava sendo negligenciado, mas cujo dom floresceu e irrompeu como a primavera quando eles seguiram o chamamento de amor do mestre de Assis. O famoso Giotto, primeiro grande pintor dos tempos modernos, foi profundamente influenciado por Francisco. A gratidão e o grande amor que sentia por ele são representados com bastante ardor, conforme podemos ver em suas maravilhosas obras. Eu poderia calar-me e poupar todas as minhas palavras sobre o santo de Assis se pudesse simplesmente levar-vos à maravilhosa igreja de Assis, em cujas paredes Giotto pintou a vida de Francisco. Pois tais afrescos não só retratam seus feitos e os acontecimentos de sua vida, como também são um cântico entusiasmado nascido do espírito da santidade. A arte extremamente ousada e intensa de Giotto no fundo nada mais é que um poderoso eco da voz daquele grande cantor e pregador. Normalmente, um espírito vigoroso e profundo fala e tenta se fazer entender por meio de formas e transformações, que são sempre renovadas; assim, por exemplo, o espírito de Cristo se expressou de diversas maneiras, em diferentes épocas. Nos tempos em que a doutrina e a prédica arrefeceram e enfraqueceram, acaso ele não falou por meio de poetas, visionários e grandes músicos? E nos tempos em que a Igreja caiu em pecado e viu-se em decadência, ele falou por meio das obras de pintores, arquitetos e escultores!

Foi assim que a delicada e sagrada mensagem que veio à Terra na pessoa de Francisco sobreviveu após sua morte. Ele lançou a mancheias sementes sobre a terra, e estas germinaram, cresceram e floresceram: aqui na alma de um pintor, acolá na de um poeta, ao longe na de um escultor ou de um sábio. E, mesmo que acerca de sua vida não nos tivesse chegado relato nem canção alguma, ainda assim teríamos os testemunhos eloquentes de inúmeras pessoas nas quais sua figura e sua conduta despertaram amor e anseios e que falaram dele em muitos idiomas, com palavras e sons, no bronze, no mármore e em belas cores.

Na história da arte moderna, talvez não exista nenhuma figura como a de são Francisco, com quem tantos grandes mestres sonharam, retratando-o, cada qual à sua maneira, de acordo com esse sonho. Mesmo muito tempo depois de sua morte, ele continuou exercendo profundo e suave poder sobre os ânimos, a ponto de, em certo momento, tornar-se o preferido de todos os artistas. A vida de são Francisco parecia tão cheia de poesia e tão digna de ser contada e lembrada eternamente que centenas de pintores e escultores representaram sua figura e acontecimentos de sua vida. Nem os antigos escritores deixaram de venerá-lo; pelo contrário, coligiram todas as suas histórias e lendas, fazendo com que ele, envolto em rica coroa de belas lendas, logo se igualasse a Carlos Magno e aos míticos heróis das fábulas que estavam na boca do povo.

Não foram poucos os poetas que escreveram e cantaram inspirados em seus ideais e em seu espírito. Muito antes de Dante, esses sucessores e admiradores de Francisco utilizaram a língua vernácula e devem ser tratados como precursores ou fundadores da arte poética italiana em versos. Já entre os primeiros discípulos e amigos de Francisco, encontramos vários poetas que compuseram cânticos e hinos, parte em latim, parte na língua italiana. A Tomás de Celano, um discípulo de Francisco, atribui-

-se (ainda que sem certeza) aquele poderoso e comovente hino *Dies irae, dies illa*. Além dele, o frei Giacomino da Verona escreveu um grande e belo poema sobre o céu e o inferno, que só foi superado por Dante. A esses poetas seguiram-se os cantores de numerosas *laudes*, que durante muito tempo foram a expressão de toda a arte poética popular, principalmente em Florença. O maior e mais pujante sucessor de Francisco, porém, foi Jacopo dei Benedetti, que passou a ser conhecido como Jacopone da Todi, devido a seu lugar de nascimento; seu destino amargo e o grande sofrimento fizeram dele um autor de cantos dolorosamente belos. Suas inúmeras canções ardem como tochas flamejantes de clarões vermelhos em montanhas noturnas; são tristes e belas, como chamas apaixonadas e intensas.

Em muitos outros campos ainda poderíamos apontar a poderosa influência do espírito e da beleza de Francisco. De grandes homens como ele, a cuja imagem e memória um povo inteiro adere, a arte sempre recebeu uma nova esfera de atividade e novas energias vitais. O que há de inexplicável e eterno em tais figuras é o fato de que sua mera lembrança provoca maravilhas, desperta forças e incentiva heróis a cometer façanhas, pintores a criar quadros e cantores a compor canções, porque todos enxergam nele uma alegoria desencadeadora de nostalgias e uma saudação de Deus à terra.

Se alguém me perguntasse "mas como podes chamar aquele Francisco de grande poeta, se ele não nos legou nada mais do que a canção *Laudes creaturarum?*", eu responderia: ele nos deu as imagens imortais de Giotto, belas lendas e as canções de Jacopone e de todos os outros, além de mil obras preciosas que, sem ele e o secreto poder de amor de sua alma, jamais teriam surgido. Ele foi um daqueles grandes seres enigmáticos, um dos mais antigos que, inconscientemente, ajudaram a construir a obra gigantesca e milagrosa chamada Renascença, ou seja, o renascimento do espírito e das artes.

Ah, existem tantos escritores e poetas famosos que produziram belas obras! Mas há poucos que, pela força da profundidade de palavras e pensamentos mais íntimos, disseminaram entre as nações a eternidade e a ancestral nostalgia humana, qual mensageiros e semeadores divinos. E há poucos que, não sendo amados e admirados através dos séculos pelas suas belas obras e palavras, mas apenas por sua essência pura e nobre, flutuam no firmamento acima de nós como estrelas santas, dourados e sorridentes, guias e líderes bondosos para as errâncias dos homens nas trevas.

(1904)

Apêndice

O Florilégio de são Francisco de Assis

Recentemente foi lançada uma notável edição alemã de *I Fioretti di San Francesco*. Diante do evidente e, ao que tudo indica, crescente interesse pela pessoa e pelo significado do santo na última década, não é inoportuno iniciar a discussão do livro com algumas notas orientadoras sobre Francisco.

Francisco de Assis, na verdade Giovanni Bernardone, nasceu em Assis no ano de 1182, filho do próspero comerciante Pietro Bernardone. Não teve formação erudita, mas, em compensação, recebeu educação mundana por meio da amizade com os filhos da nobreza e com os círculos da alta burguesia. É provável que questões religiosas tangenciassem seu ambiente; o pai empreendeu várias viagens longas, principalmente para mercados do sul da França, e necessariamente estaria ciente dos grandes movimentos de seu tempo. Com o florescimento das cidades livres e da cultura burguesa urbana, nasceram novas e fortes demandas, para as quais a Igreja não conseguia dar resposta, até porque estava muito ocupada com sua luta encarniçada contra o Império. Havia em todas a almas um desejo ardente de ensinamento e consolo, de transmissão e interpretação do Evangelho, e a arte da prédica não se saía bem, oferecendo pedras em lugar de pão. Foi quando começaram a surgir, aqui e ali, homens de ação e palavra, pregadores laicos e apóstolos do povo; havia profetas e taumaturgos, falsos mestres e verdadeiros grandes oradores populares. Alguns se perderam no terreno do fantástico e desapareceram sem deixar rastros; outros se desgastaram em lutas infrutíferas; os melhores e maiores, no entanto, foram violentamente reprimidos pela Igreja ciumenta. Subitamente, por toda parte, surgiram hereges e mártires, e, no seio do povo inquieto, nasceram movimentos apaixonados.

No entanto, não sabemos nada de muito seguro sobre a influência do espírito daqueles tempos sobre a primeira juventude de Francisco. Eram tempos em que ressoaram as primeiras composições dos trovadores, e Francisco conservou traço disso para toda a vida; nunca deixou de sentir necessidade de certa elevação poético-artística da vida e de seu valor. Inicialmente, esse anseio se expressou de maneira muito juvenil: Francisco lançou-se com todo o ardor à vida festiva, buscando superar seus amigos, nobres na maioria, sem procurar poupar o bolso do pai. Dava festas e delas participava, gostava de armas, roupas, cavalos; seu ideal era vir a ser um cavaleiro perfeito, e são notáveis o fervor e a intensidade com que perseguiu esse ideal. Já naquela atitude lúdica, ainda de menino, revelava o comportamento de alguém que não sabe fazer nada pela metade e que, para viver, necessita de um anseio profundo, um ideal para seguir com total devoção. Quer provar o que há de mais profundo e precioso na vida e, intuindo onde está o caminho para alcançá-lo, não hesita em segui-lo. No entanto, tem como inestimável patrimônio uma alegria interior indestrutível, algo da natureza de uma ave canora: nunca lhe faltam um sorriso, uma canção, uma palavra cordial. Essas duas características — o anseio apaixonado de se elevar e, ao mesmo tempo, a ingenuidade alegre e a afabilidade da criança — explicam toda a sua natureza e a sua vida.

Francisco não contava ainda vinte anos quando participou da batalha defensiva contra Perúgia. Depois da queda do duque de Spoleto, representante do imperador em Assis, ocorreram insurreições cada vez mais ameaçadoras da plebe contra a nobreza, e, em apuros, alguns nobres cometeram a traição de pedir ajuda à poderosa cidade de Perúgia. Perúgia veio em socorro deles e, numa batalha rápida, derrotou totalmente as tropas da cidade vizinha mais fraca. Francisco, que combatera com entusiasmo, foi feito prisioneiro, assim como muitos outros, e levado a Perúgia. Ali passou um ano inteiro na prisão (se bem que com os aristocratas, em vista de seus hábitos mais distintos). No entanto, o tempo de cárcere não o vergou de forma alguma; ao contrário, ele era o mais animado e alegre, sempre tentava alegrar os companheiros de sofrimento e falava constantemente de sua expectativa de logo se tornar um guerreiro e um cavaleiro sem mácula.

Libertado da prisão em 1203 e de volta a Assis, logo retomou a antiga vida libertina. Era o primeiro em jogatinas e banquetes e esbanjava o dinheiro como um nobre; um de seus biógrafos mais antigos o chamou de *princeps juventutis*. Uma doença grave que o acometeu obrigou-o à introspecção e à tentativa de mudança. Mas isso não durou muito. Pouco tempo depois, reacendeu-se com força sua paixão pela vida mundana gloriosa e brilhante. Parecia querer abrir-se para ele o ansiado caminho rumo a aventuras e grandes façanhas, ao brilho e à honraria.

Pois no sul da Itália, Gualtério de Brienne, o famoso comandante e cavaleiro, estava armando um exército a serviço do papa, e de todos os lados acudiram voluntários das classes mais elevadas. Vários rapazes e homens da nobreza de Assis também resolveram participar, e Francisco, assim que ouviu falar disso, engajou-se com entusiasmo. Foi tomado por uma excitação febril e impetuosa, vestiu-se e armou-se com mais riqueza e exuberância que todos os outros e falava de seus planos e de suas esperanças a quem quer que encontrasse. Embriagado pela expectativa ardente e pela vontade de agir, já se via a caminho de realizar seus sonhos juvenis desbragados e ambiciosos, gabando-se de que regressaria como príncipe e vitorioso coroado. Montando um cavalo de grande valor, no dia da partida se juntou aos companheiros e, com sua magnífica armadura, provocou inveja nos camaradas e assombro nos que ficaram para trás.

Dois dias depois, voltou sozinho para Assis, transformado, alquebrado, humilde. Dera a armadura de presente a um nobre empobrecido. Não se sabe o que o levou a voltar; talvez os camaradas o tivessem punido por seu comportamento altivo, talvez estivesse enfraquecido por súbita doença. Seja como for, vivenciou um momento em que sua alma travou combates mortais, em que Deus tocou seu coração, e, naquela hora misteriosa, a ambição e a sede de aventura desprenderam-se dele como pele morta. Assim, voltou para casa e foi recebido com escárnio e incompreensão. Não se importou, pois algo muito mais profundo o torturava. Ideais, esperanças e planos de vida, tudo para ele tinha perdido valor, dissipava-se. E agora? Precisava de um novo ideal, um novo molde para verter sua vontade ardente de viver, um novo Deus, uma nova fé; passou muito tempo a consumir-se nesse anseio e nessa busca. Não dava ouvidos aos repetidos convites dos antigos amigos, mas, um belo dia, convidou-os de surpresa para um banquete. Comeram e beberam até tarde da noite, quando o grupo se levantou para percorrer as vielas gritando e cantando. Então, Francisco se afastou e passou a andar sozinho, perdido em pensamentos, pois naquela noite vislumbrou pela primeira vez seu novo ideal. Os amigos encontraram-no, cercaram-no, rindo, e perguntaram em que estava pensando e se não desejava uma mulher. Então, ele respondeu que encontrara uma noiva mais nobre e mais bela do que eles conseguiriam imaginar.

Rindo, foram embora e o deixaram, imaginando que ele estava bêbado. Foi o último banquete e o último dia da antiga vida.

Essa é a história da juventude do santo, e ela tem a graça quase coquete de um conto. Mas nele não se perderam os traços simpáticos, a alegria sempre pronta para o canto e a pilhéria, o gosto pelo belo, a nobreza ora entusiasmada, ora galhofeira. Tais traços, baseados numa seriedade generosa, singela, imensa, ganharam uma beleza nova, mais elevada e espiritualizada, e envolveram a figura do santo com uma aura de puerilidade e graça eternamente jovem que lhe angariaram milhares de corações.

Na solidão e na oração, em contato com pobres e necessitados, Francisco começou vida nova. Viveu o anseio religioso sôfrego e insatisfeito de toda aquela época com uma inquietação dolorosa que logo o impeliu a peregrinar até Roma. Ali não encontrou o que buscava. Mas, logo depois do regresso, em seu íntimo começou a fazer-se luz, e ele reencontrou o que as almas buscavam em vão em toda parte: o caminho singelo até Deus, que a ele e a inúmeros seguidores seus significou a salvação. Sua façanha foi ter decidido simplesmente voltar ao teor do Evangelho em latim e seguir literalmente as palavras que Jesus dissera a seus discípulos. É certo que, antes dele, outros haviam tentado fazê-lo, mas tinham se tornado ascetas, ermitões ou tolos. Com sua maneira ingênua, sempre voltada para a vida cotidiana e ativa, Francisco abraçou a palavra de Jesus sem a menor tentativa de exegese dogmatizante, sobretudo em seu significado para a vida prática do dia a dia. E, assim, voltou ao preceito da pobreza apostólica com uma compreensão instintiva daquilo que é essencial. Intuiu que a única possibilidade de liberdade interior estava na ausência total de posses e decidiu livrar-se de todos os bens. Da mesma forma instintiva, tornou-se um pregador popular, valendo-se de conversas na rua e de diálogos amistosos. O fato decisivo é que não pregava nada que ele próprio não pudesse cumprir diariamente, embasando e apoiando a doutrina no exemplo. Mais importante ainda é que não aparecia nos trajes sombrios do pregador penitente nem com a pose de mártir do asceta, e sim alegre e humilde, sem ameaçar nem vociferar, mas tentando atrair seus ouvintes com toda a alegria afável de seu ser. *Joculatores Domini*, Jograis do Senhor, foi essa a denominação que adotou para si e para seus primeiros discípulos; não tentava pintar o inferno como um lugar insuportável, preferindo tornar a terra e o céu lugares agradáveis, como um cantor e um propagandista sedutor a serviço de Deus.

As dificuldades e as contrariedades eram muitas. Apesar de toda a admiração, alguns leitores atuais da biografia de Francisco pensarão: seria considerado louco quem quisesse fazer isso hoje. Mas não era muito mais fácil naqueles tempos. Numa época em que, com o fortalecimento das cidades e o florescimento do comércio, o dinheiro já tinha poder significativo, o Evangelho da pobreza certamente não parecia natural e atraente. E Francisco não era filho de camponeses nem um joão--ninguém, e sim um cidadão, filho de comerciante abastado e companheiro da juventude aristocrática. Quando vendeu o cavalo e deu o dinheiro ao pároco da Igreja de São Damião, quando começou a lidar com mendigos e miseráveis e se despojou de todos os costumes de jovem patrício, não perdeu apenas todos os amigos. Seu pai o espancou publicamente e o encarcerou, depois o levou ao tribunal, expulsou-o e deserdou-o de maneira aviltante. Seu irmão o humilhava e se envergonhava dele, e toda a população o perseguia com escárnio e desprezo. Tornara-se o bobo da cidade. Mas não cedeu. Sem ira, suportou as humilhações e andava com uma túnica que o criado do bispo lhe dera por compaixão. Estava longe de pensar em fundar uma comunidade e, como não queria ficar ocioso, mas fazer algo para honrar a Deus, começou sozinho a reformar uma capela abandonada. Toda vez que precisava, ia até a cidade e pedia contribuição a todos, pedras para a obra ou azeite para a lamparina sagrada. E aos poucos sua tenacidade destemida e sua atitude modesta e cordial passaram a lhe render crescente respeito. Nessas mendicâncias, entre centenas de humilhações, nas conversas individuais, tornou-se um grande pregador sem que tomasse consciência disso. Logo se aproximou dele o primeiro discípulo, um jovem rico que pedia conselhos para assuntos espirituais. "Dá tua fortuna aos pobres, não guardes nada e vem viver como irmão comigo", aconselhou Francisco, e o homem foi, deu tudo e passou a vida inteira como um dos seguidores mais fiéis do *Poverello*, apelido que o povo logo deu ao santo.

No ano de 1210, quando Francisco já tinha certa quantidade de discípulos, foi a Roma e pediu ao papa a confirmação de sua jovem comunidade. Depois de alguma demora, essa autorização foi concedida de forma hesitante, e assim a Igreja ganhou o maior pregador laico do século. Durante muitos séculos, sua ordem se transformou em fonte e sede da verdadeira prédica popular e num dos pilares mais confiáveis e poderosos da Igreja Romana.

Com o rápido crescimento da nova ordem, cujo número de seguidores logo chegou à casa de centenas e, depois, de milhares, a vida pessoal do fundador ficou em segundo plano. Dirigir e supervisionar um círculo tão vasto de pessoas, as responsabilidades, a redação de um regulamento, tudo isso lhe trazia cada vez mais preocupação e sobrecarga, além de algumas decepções. Com afeto redobrado uniu-se então aos companheiros dos primeiros anos e, com preocupação e padecimento, cresceu nele a necessidade de buscar tranquilidade no silêncio e no campo e de descansar na fonte mais profunda de seu ser, fonte que jamais secou e à qual devemos seu maravilhoso *Canto do sol (Laudes creaturarum)*. Na profunda sensibilidade à natureza reside também a magia misteriosa que Francisco exerce até hoje, mesmo sobre pessoas indiferentes à religião. O sentimento de gratidão e de alegria com que saúda e ama todas as forças e criaturas do mundo visível, como se fossem irmãos e seres aparentados, é isento de qualquer simbolismo eclesiástico e, em sua humanidade e beleza atemporais, consiste numa das aparições mais insólitas e nobres de todo aquele mundo medieval tardio.

O *Florilégio de são Francisco* traz muitas informações sobre a vida dos frades, a ordem das freiras, a vida posterior de Francisco, seus estigmas e sua morte. Aqui informamos apenas as datas. Em 1224, empreendeu a famosa viagem ao Monte Alverne, já doente e com o pressentimento da morte, e foi ali que vivenciou o mistério dos estigmas. No dia 3 de outubro de 1226, morreu depois de intenso sofrimento, e entre todas as *vitae sanctorum*,* não há relato de morte mais belo e comovente que o de sua morte. Também sobre isso informa o *Florilégio*. Menos de dois anos depois, em julho de 1228, o papa Gregório IX o canonizou, e, ao mesmo tempo, foi lançada a pedra fundamental da Igreja de São Francisco, em Assis, que pode ser considerada, em certo sentido, o local de nascimento do grande desenvolvimento artístico italiano. Sobre a relação das artes plásticas com Francisco e seu imenso significado cultural para os séculos seguintes, Henry Thode escreveu

---

* Vidas dos santos. (*N. da E.*)

uma das monografias mais densas e importantes da modernidade.

Já durante a vida do santo, corriam entre o povo muitos relatos e lendas a seu respeito. Depois de sua morte, visto que a narrativa de sua vida e de sua personalidade foi transmitida por tradição oral, cresceu o número de lendas, que passavam de boca em boca nos conventos e nas casas, na corte e nas ruas, para entretenimento e edificação. Essas histórias ingênuas e vívidas — populares, com poucas exceções — foram coligidas pela primeira vez na Úmbria, no século XIV, e chamadas de *Fioretti di San Francesco*. A essa antologia foi sendo acrescentada grande quantidade de relatos biográficos e anedóticos dos primeiros tempos dos frades franciscanos, e antes da invenção da imprensa essa obra já era o que continua sendo ainda hoje: o livro mais popular da Itália. Apesar do conteúdo devoto, o *Florilégio* é um precursor da literatura novelesca italiana e constitui o monumento mais belo e imorredouro que jamais um grande personagem erigiu na literatura de seu povo. Não se trata de um documento histórico sobre a vida, os atos e as palavras de Francisco, mas reflete, até os mínimos detalhes, os traços encantadores e sérios de sua personalidade, apresentando o santo do modo preciso como ele viveu durante séculos — e ainda vive — na memória devota do povo.

(1905)

O jogo das flores:
sobre a infância de são Francisco de Assis

— Cesco! — chamou a mãe lá de cima.

Reinavam o silêncio e o calor no sonolento fim de tarde da Itália.

Mais uma vez, a voz cativante e graciosa:

— Cesco!

O menino de doze anos estava sentado à sombra, sobre pedras empoeiradas, ao lado da escada de entrada, quase adormecido, com as mãos magras unidas sobre os joelhos pontudos, um cacho castanho a lhe cair sobre a testa clara, suavemente marcada por veias.

Como era bonito aquele som! A voz maternal suave, leve, ligeira como um pássaro, bondosa e gentil, especial e nobre, a voz da mãe. Com ternura, Francesco pensou nos chamados que ecoavam. Por um átimo, fez menção de pôr-se em pé, mas o movimento fraco arrefeceu, e, enquanto ainda ressoava a voz querida naquele profundo silêncio ensolarado, seus pensamentos já voavam longe.

Quanta coisa maravilhosa havia no mundo! Não era qualquer homem que podia estar sentado como ele, à sombra, diante da escada da casa, com os mimos do pai e as advertências da mãe; de todos os lados viam-se as casas vizinhas, as fontes, o cipreste, as montanhas, sempre iguais, sempre os mesmos. Havia homens que atravessavam o mundo a cavalo, homens que cruzavam a França, a Inglaterra e a Espanha, passando por todos os castelos e todas as cidades e, onde quer que acontecesse algo de ruim, onde quer que algum homem bom e pio fosse levado à morte ou alguma pobre e bela princesa fosse enfeitiçada, surgia o herói, o cavaleiro, o libertador, que desembainhava sua grande espada e fazia a coisa certa. Havia cavaleiros que punham em debandada um exército inteiro de mouros. Iam até o fim do mundo em grandes navios, e, antes que chegassem, as tempestades sopravam seus grandiosos e ousados nomes por todos os países. Era o que Piero, o criado, contara no dia anterior sobre Orlando.

Francisco abriu os olhos por baixo dos cabelos cacheados e olhou através de uma fresta ao lado do telhado coberto de musgo do vizinho, onde, por entre os pilares de pedra de sustentação da parreira, avistou a paisagem que começava estreita e se abria até a vastidão: a descida para a planície da Úmbria até as montanhas do outro lado, em cuja encosta estava pregada, longe e infinitamente pequena, uma cidadezinha com a torre branca de uma igreja e, atrás dela, o ar azul e a ideia colorida do mundo. Como era bonito e doloroso imaginar tudo o que havia lá atrás, tudo, tudo, rios e pontes, cidades e mares, castelos e exércitos, grupos de cavaleiros com música, heróis montados a cavalo e belas mulheres nobres, torneios e instrumentos de corda, armaduras douradas e trajes farfalhantes de seda, tudo pronto, tudo à espera, um banquete servido para quem tivesse coragem de conquistá-lo.

Sim, pois era preciso ter coragem. Coragem para cavalgar por um deserto estranho durante a noite, quando tudo ficava cheio de assombração, magia hostil e cavernas cheias de esqueletos humanos. Será que ele, filho de Pietro Bernardone, teria tanta coragem? E se fosse aprisionado, levado a um príncipe mouro enfurecido ou encarcerado num castelo enfeitiçado! Não era fácil. Não dava para imaginar. Era difícil, terrivelmente difícil, e com certeza havia poucos que conseguiriam fazê-lo. Será que seu pai conseguiria? Talvez, quem sabe? Mas se havia pessoas capazes de fazê-lo, se Orlando e Lancelote e todos os outros haviam realizado suas façanhas, como poderia haver outro caminho para um jovem? Como continuar brincando com feijões ou caroços de abóbora, querer se tornar artesão ou comerciante ou sacerdote ou qualquer outra coisa?

A alva fronte enrugou-se bastante, os olhos desapareceram sob o cenho franzido. Meu Deus, como era difícil decidir! Quantos já haviam tentado, sucumbindo logo de início, jovens escudeiros ou cavaleiros dos quais nenhuma princesa jamais teve notícia, que nunca ganharam canções em seu louvor, cujos feitos nenhum cavalariço jamais contara à noite! Desaparecidos, assassinados, envenenados, afogados, lançados do alto de penhascos, devorados por dragões, presos em cavernas; em vão haviam saído de casa, em vão haviam suportado privações e sofrido tormentos!

Francisco estremeceu. Fitou as mãos magras e queimadas de sol. Talvez um dia fossem cortadas por sarracenos, pregadas numa cruz, devoradas por abutres. Era terrível. Quando imaginava quanta coisa boa, bonita, agradável e saborosa havia na Terra. Ah, quanta coisa boa! Uma lareira no outono com castanhas na brasa, uma festa das flores na primavera com as filhas dos nobres trajadas de branco. Ou um potro manso, como o que seu pai lhe prometera quando fizesse catorze anos. Mas havia ainda centenas e milhares de outras coisas bem mais singelas, também belas e deliciosas. Como estar sentado ali, na meia-sombra, com o sol na ponta dos pés, as costas nas pedras frias do muro. Ou estar deitado à noite, na cama, sentindo apenas o calor suave e macio e o ameno crepúsculo do cansaço. Ou escutar a voz da mãe, sentir sua mão nos cabelos. E assim eram milhares de coisas, assim era tudo, assim era acordar e dormir, a noite e a manhã; havia tanto perfume e som bonito, tantas cores, tanta coisa adorável e sedutora.

Acaso seria mesmo necessário menosprezar, sacrificar, arriscar tudo isso? Apenas para vencer um dragão (ou ser destroçado por ele) ou para ser nomeado duque por um rei? Precisava ser assim? Fazia sentido?

Nem cogitou que ninguém no mundo, nem o pai, nem a mãe, exigira tal coisa dele, que apenas seu coração o desejava, sonhava com aquilo e cobiçava ser daquele jeito. Sentia-se obrigado àquilo. Era um ideal que se acendera. Era um chamamento que ressoara, um fogo se avivara nele. Mas por que era tão difícil, tão difícil mesmo atingir aquilo que parecia a coisa mais bela, a condição de herói? Por que era necessário optar, sacrificar-se, decidir-se? Não bastava fazer simplesmente o que dava prazer? Sim, mas o que dá prazer? Tudo e nada, tudo por um momento, nada para sempre. Ah, essa sede! Essa avidez que devora por dentro! E tanta dor, tanto temor secreto!

Furioso, bateu a cabeça contra o joelho. Bem, fosse como fosse, queria se tornar cavaleiro. Que o matassem, que morresse à mingua num deserto de areia, mas queria ser cavaleiro. Todos iam ver: Marietta e Piero, a mãe, e até mesmo o estúpido professor de latim! Voltaria montado num cavalo branco, na cabeça um elmo dourado com penas espanholas e na testa uma grande cicatriz.

Com um suspiro, voltou a se recostar, espiando através dos pilares a vaporosa lonjura avermelhada, em que cada sombra azul era um sonho e uma promessa. Escutou Piero arrumando os fardos no paiol. A sombra a seu lado se alargara, demarcando contornos firmes contra a rua ensolarada. O céu tornava-se ameno e dourado por cima das montanhas distantes.

Então, um pequeno grupo de crianças veio subindo a rua, seis a oito meninas e meninos, sempre de dois em dois, brincando de procissão, com coroas de folhas em volta da nuca, e vestidinhos empoeirados, trazendo nas mãos flores do campo, ranúnculos e margaridas, gerânios e sálvia, arrancados sem cuidado, machucados e já quase fenecidos, com talos de capim no meio. Os pés descalços emitiam ruídos suaves sobre as pedras do calçamento, um garoto maior marcava o compasso batendo tamancos de madeira. Todos cantavam um pequeno verso truncado, eco desfigurado de um hino de igreja, com o seguinte refrão:

> *mille fiori, mille fiori*
> *a te, Santa Maria...**

E assim o grupo de pequenos peregrinos veio subindo a ladeira, trazendo um pouco de som e cor à viela mortiça. Bem atrás vinha uma menina atando uma das tranças, enquanto prendia a outra na boca, misturada às flores, sem por isso deixar de cantar e cantarolar. Algumas flores perdidas ficaram para trás do grupo, na poeira.

Francisco entoou a melodia conhecida, fazendo parte do coro. Também brincara de procissão centenas de vezes; durante muito tempo, aquela fora sua brincadeira predileta. Mas, a partir do momento em que passara a fazer parte do rol dos meninos maiores e já participava das travessuras proibidas dos rapazes, deixara para trás, com a inocência da infância, aquela brincadeirinha pueril. O fato é que ele era uma daquelas crianças demasiado sensíveis, em cuja alma já muito cedo ecoa a canção da transitoriedade das alegrias. Naquele dia em que acabara de resolver virar herói, aquela brincadeira lhe parecia uma tolice.

---

* Mil flores, mil flores / para ti, santa Maria. *(N. da E.)*

Olhou com orgulho e indiferença os pequenos que passavam. Foi quando viu, ao lado da menina de trança solta, um menino de uns seis anos, segurando com as duas mãos uma única flor machucada e caminhando com passos solenes e largos, como se estivesse portando uma bandeira. Apesar de seu canto ser desafinado, seus olhos redondos brilhavam com solenidade e piedosa devoção.

"Mille fiori", cantava, fervoroso, *"mille fiori a te, Santa Maria."*

Quando o caprichoso Francisco o viu, foi imediatamente afetado pela beleza e pela reverência daquela brincadeira das flores, ou melhor, pela exaltada lembrança do entusiasmo já fenecido que ele mesmo sentira naquela brincadeira. Com um salto brusco, correu atrás das crianças e acenou para elas de maneira impositiva, ordenando-lhes que esperassem diante da casa por um momento.

Obedeceram (ele estava acostumado a mandar e, além do mais, era filho de um homem rico e renomado) e esperaram, com as flores machucadas nas mãos. O canto emudeceu.

Enquanto isso, Francisco foi até o jardim da mãe, minúscula plantação de três ou quatro passos de comprimento, cultivada com esforço entre os muros das casas. Havia poucas flores ali, os narcisos tinham fenecido, os goivos já estavam germinando. Mas havia dois pés de íris violetas em flor. Eram da mãe. Sentiu uma fisgada no coração, mas arrancou quase todas as flores grandes

Francisco presenteia um nobre empobrecido com seu manto.

A emancipação: Francisco devolve seus trajes ao pai indignado.

Um devoto pede a Francisco que pise em seu manto.

O milagre da fonte. Um camponês sedento consegue se refrescar em uma fonte de água recém-surgida por intercessão de Francisco.

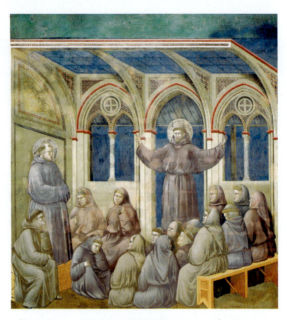

Francisco aparece entre seus companheiros em Arles.

Francisco pregando ao papa Honório III.

Francisco ouve em São Damião as palavras:
"Vai e reconstrói a minha casa!"

Francisco confessa sua fé diante do sultão do Egito.

O estigma de são Francisco.

A morte de são Francisco.

Francisco pregando aos pássaros.

O cadáver de são Francisco diante do Mosteiro de São Damião.

e belas. Os caules espessos e suculentos estalavam em sua mão. Olhou para o cálice branco de uma das flores, no ponto em que a cor violeta se tornava pálida e havia estames amarelos e pilosos dispostos em ordem precisa. Sentiu profunda compaixão pelas flores.

Voltou e entregou um íris a cada criança. Ele próprio ficou com um e se pôs à frente da procissão. Assim, percorreram a rua seguinte: as belas flores e o exemplo do líder que todos conheciam atraíram muitas crianças. Com ou sem flores, juntavam-se às outras, e, quando finalmente chegaram à praça da catedral, no momento em que as montanhas resplandeciam de um vermelho azulado contra o céu dourado, a multidão já era grande. "*Mille, mille fiori*", cantavam, e começaram a dançar diante da igreja, e Francisco, cheio de fervor, com as faces coradas, ia dançando à frente da procissão. Caminhantes vespertinos e camponeses que regressavam para casa paravam e assistiam à cena; as jovens elogiavam Francisco e, finalmente, uma delas, mais ousada, fez o que todas queriam fazer: aproximou-se do belo rapazinho, deu-lhe a mão e continuou dançando com ele. Risadas misturavam-se a aplausos, e por um momento a cerimônia religiosa infantil e lúdica desabrochou em forma de festa, do mesmo modo como, nos lábios das meninas, o sorriso infantil desabrocha em forma de sorriso de donzela.

Quando soaram as vésperas, tudo tinha acabado, Francisco apareceu em casa, acalorado e entusiasmado, e só então percebeu que participara do cortejo e dançara descalço e com a cabeça descoberta, o que, havia muito, evitava ciosamente, pois agora já convivia com rapazes mais velhos e filhos de nobres.

Após o jantar, quando, depois de alguma resistência e rebeldia, ele concordou em ir para a cama, voltaram-lhe à mente a cavalaria e a imensidade de tarefas viris que assumira. Empalideceu de ira e desprezo por si mesmo: como podia ter-se esquecido a tal ponto! De olhos cerrados e lábios apertados, criticou-se e desprezou-se amargamente, como tantas vezes fazia. Belo herói, corajoso Orlando que arrancava as flores da mãe e ia dançar e brincar com um bando de crianças! Que belo cavaleiro! Um palhaço, um brincalhão, um leviano, isso era ele. Só Deus sabia como podia ter ocorrido a alguém como ele o desejo de ser justo e nobre! Ah, durante a dança na praça, com que intensidade o brilho do crepúsculo e a suave distância dourada haviam iluminado seu coração! Acaso aquilo não falava, não seduzia, não advertia com a mesma força e ardor do chamado de um arauto? E ele tinha dançado e sido galanteador, tinha até recebido um beijo da jovem camponesa! Ator! Bufão! Francisco fincou as unhas no punho e gemeu de vergonha e recriminação. Ah, assim era em tudo o que fazia! Tudo era assim: ele sempre começava e concebia tudo com propósitos bons, elevados e nobres, mas depois surgia uma mudança de humor, um vento, um aroma, a sedução de algum lugar, e mais uma vez o nobre herói se tornava um moleque de rua e um bobo, como sempre. Não, não havia sonhos elevados, decisões sagradas e entusiasmo, isso era para os outros, os mais nobres e dignos que ele. Ah, Lancelote! Ah, canções heroicas e ardor distante e sagrado das montanhas do lago Trasimeno!

A porta se abriu devagar na penumbra, e a mãe entrou, silenciosa. Dormia no mesmo cômodo, com Francisco, agora que o pai estava viajando. Com suas chinelas domésticas, foi em silêncio até sua cama.

— Não está dormindo ainda, Cesco? — perguntou, meiga.

Ele tentou fingir que estava dormindo, mas não conseguiu. Em vez de responder, pegou a mão dela e a segurou. Amava com carinho quase apaixonado as mãos da bela mãe, assim como sua voz. Ela lhe estendeu a mão direita e afagou seus cabelos com a esquerda.

— Estás precisando de alguma coisa, filho?

Ele silenciou durante algum tempo, depois disse:

— Hoje fiz uma coisa feia.

— Muito feia, Francesco? Conta-me!

— Arranquei quase todas as tuas flores. As grandes, azuis, sabe... já não estão lá.

— Eu sei. Eu vi. Então foste tu? Pensei que tinha sido Filippo ou Graffe. Afinal, não costumas cometer esse tipo de brutalidade.

— Também fiquei com pena. Dei as flores às crianças.

— Que crianças?

— Veio um bando de crianças. Brincamos de *mille fiori*!

— Tu também? Brincaste com elas?

— Sim. De repente, senti vontade de participar. Só tinham flores campestres, bem murchas, eu queria que tivessem flores bonitas.

— Foste até a catedral?

— Sim, à catedral, como sempre.

Ela pousou a mão sobre a cabeça dele.

— Não, isso não é malvadeza, Cesco. Seria, se tivesses arrancado as flores só por arrancar! Mas isso... isso realmente não é grave. Acalma-te!

Ele ficou quieto, e a mãe achou que o tivesse acalmado. Mas ele voltou a dizer, com voz baixa:

— Não é por causa das flores.

— Não? Então o que é?

— Não posso falar.

— Fala, conta-me! Ainda estás com a consciência pesada?

— Mãe, quero ser cavaleiro.

— Cavaleiro? Sim, podes tentar... Mas o que tem a ver com isso?

— Tem! Tem muito a ver com isso! A senhora não me compreende! Eu quero me tornar um cavaleiro! Mas não consigo! Volta e meia faço bobagens. Ser cavaleiro é tão difícil, tão difícil... um verdadeiro cavaleiro nunca faz nada de mau ou de tolo e ridículo, e eu também quero agir desse modo, também quero ser assim, mas não consigo! Hoje, por exemplo, de repente fui com as crianças e fiquei dançando com elas! Como uma criancinha!

A mãe ajeitou a cabeça dele no travesseiro.

— Não sejas tolo, Francesco! Dançar não é pecado. Até um cavaleiro pode dançar quando está alegre ou quando quer dar alegria aos outros. Olha, tu te atormentas com coisas que nem são como achas que são. Não é possível fazer tudo da maneira que se quer. Os cavaleiros também já foram meninos e brincaram e dançaram e tudo. Mas dize: por que queres ser cavaleiro? Só porque são tão devotos e corajosos?

— Sim, sim. E porque... também posso virar príncipe ou duque, e todos falarão de mim.

— Então quer dizer que todas as pessoas precisam falar de ti?

— Ah, sim, é o que mais quero.

— Então, esforça-te para que sempre só digam coisas boas de ti! Caso contrário, é ruim estar na boca do povo!

Ela ainda precisou ficar mais algum tempo a seu lado, segurando suas mãos. Teve uma sensação estranha ao comparar a puerilidade dos anseios e sonhos do filho com a paixão e a exaltação dolorosa que tais sentimentos provocavam nele. Seu pequeno sentiria muito amor, disso tinha certeza, mas também muita decepção. Provavelmente não se tornaria cavaleiro, aquilo não passava de sonho. Mas algum destino incomum lhe estava reservado, para o bem ou para o mal.

No escuro, fez o sinal da cruz sobre ele e, no íntimo, chamou-o por aquele apelido que, mais tarde, ele próprio haveria de adotar: *Poverello*.

(1919)

Fritz Wagner

Francisco de Assis e Hermann Hesse

Desde a Idade Média até os dias de hoje, a figura de Francisco de Assis sempre exerceu enorme fascínio nas artes plásticas e na literatura. Foi especialmente na literatura moderna que o *pater seraphicus* encontrou ressonância multifacetada, desde a ideologia e a mística de Rainer Maria Rilke, a alegoria simbólica de Carl Zuckmayer, passando pela apologética cristã de Gilbert Keith Chesterton, a mentalidade religiosa de Felix Timmermann e o senso de tradição cristã de Reinhold Schneider, até a cosmovisão ético-estética de Hermann Hesse.[2] Sem dúvida, Hesse se situa entre os autores do século XX que, em suas obras, se ocuparam de modo persistente da figura de são Francisco. Para esse escritor alemão, o *Poverello* era um sonhador e poeta, cheio de veneração ante a beleza da Criação, trovador e místico que vivia em harmonia consigo, com o mundo e com Deus, um esteta santo com quem, portanto, Hesse tinha afinidade espiritual, com quem se identificava facilmente, mas também um ideal por alcançar.

---

2 Cf. H. Hegener. "Der Typus des Franz von Assis in bildender Kunst und Literatur [A figura de são Francisco de Assis nas artes plásticas e na literatura]," *in: Franziskanische Studien* [*Estudos franciscanos*], revista trimestral, ano 60, Münster, 1978, caderno 2/3, p. 186-201.

Durante os anos de rebeldia na casa paterna e na escola, o interesse de Hesse ainda não podia ser despertado por um santo como Francisco de Assis. Tampouco a atividade de aprendiz na livraria Heckenhauer, em Tübingen, e as diversas ambições literárias daí resultantes foram capazes de voltar suas atenções para temas religiosos. Só em 1899, quando Hesse voltou para Basileia, cidade de sua infância, e, sob a influência do arquivista e italianista Rudolf Wackernagel, passou a se ocupar seriamente da obra do famoso historiador Jacob Burckhardt e das narrativas literárias e lendárias da Idade Média e do Renascimento italiano,[3] foi que a figura de São Francisco ganhou importância decisiva para sua visão de mundo ético-estética. O texto autobiográfico *Hermann Lauscher*,[4] publicado no final de 1900, na Basileia, no qual Hesse, sob pseudônimo, acerta contas com a crise em que seus sonhos de juventude haviam desembocado, documenta de forma inequívoca seu vivo interesse por Francisco de Assis. Assim, em 7 de abril de 1900, o *Diário de Hermann Lauscher* registra o seguinte acerca de um comentário sobre a melancolia do escritor russo Tolstói:

"São Martinho e são Francisco pregaram a mesma doutrina de Tolstói, mas neles tanto a pessoa quanto o ensinamento são claros, elásticos e

---

[3] Ralph Freedman. *Hermann Hesse, Autor der Krisis* [*Hermann Hesse, autor da crise*]. Frankfurt, 1982, p. 120.
[4] Hermann Hesse, *Gesammelte Werke* [*Obras completas*]. 12 volumes. Frankfurt, 1970, v. I, p. 216-339.

animadores, enquanto em Tolstói são sombrios, frágeis e deprimentes."[5]

Numa anotação de 13 de maio de 1900, o *Diário* identifica de maneira inequívoca a cosmovisão estética de *Hermann Lauscher* com o esteticismo cristão de Francisco de Assis, sem, no entanto, mencionar explicitamente o nome do santo.[6]

Em 1901, durante sua primeira viagem à Itália, Hesse, numa espécie de peregrinação, admirou as belezas naturais e artísticas com devoção e espírito de descoberta cultural, seguindo o rastro de são Francisco, tão venerado por ele. Estimulado por diversas impressões visuais e psicológicas daquela viagem, Hesse mergulhou em seu romance seguinte, *Peter Camenzind*, publicado em 1904, em que reflete sobre suas experiências italianas e a veneração por Francisco de Assis. Tanto em *Hermann Lauscher* quanto em *Peter Camenzind* é impossível separar protagonista e autor. O interesse de Camenzind pela novela renascentista italiana e sua predileção pelas lendas correspondiam à mais recente ocupação literária de Hesse àquela altura. O amor de Camenzind pela natureza, franca expressão da nostalgia do próprio Hesse pela *pura natura*, é uma adesão inigualável ao amor incondicional de Francisco de Assis pela natureza e por todas as criaturas de Deus:

---
5 Obras completas, v. I, p. 316.
6 Idem, p. 321.

"Ao incluir, em seu amor por Deus, a Terra inteira, as plantas, as estrelas, os animais, os ventos e a água, ele [Francisco de Assis] se adiantava à Idade Média e até a Dante, e fundava a linguagem do humano atemporal. Chama todas as forças e aparições da natureza de queridos irmãos e irmãs. Quando, mais tarde, foi condenado pelos médicos a queimar a testa com ferro em brasa, apesar do medo, aquele doente terminal assim torturado saudou naquele terrível ferro seu querido irmão, o fogo.

"No momento em que comecei a amar pessoalmente a natureza, a escutá-la como se escuta um camarada ou companheiro de viagem que fala uma língua estrangeira, minha tristeza, apesar de não ter sido curada, foi enobrecida e purificada."[7]

São Francisco tem importância simbólica para toda a trajetória de vida de Peter Camenzind. Ainda estudante, Camenzind descobre seu amor libertador por Francisco de Assis,[8] para o qual também tenta cooptar seu colega de estudos, Richard.

"Minha predileção quase amorosa por são Francisco de Assis foi logo compartilhada por ele [Richard], ainda que este, de vez em quando, fizesse com o santo algumas pilhérias que me indignavam.

---
7 Obras completas, v. I, p. 434.
8 Idem, p. 386-387.

Víamos o abençoado mártir percorrer a paisagem da Úmbria com afabilidade e entusiasmo, como uma criança grande, feliz com o seu Deus e cheio de amor humilde por todas as pessoas. Líamos juntos seu imortal *Canto do Sol*, que sabíamos quase de cor. Um dia, voltando de um passeio, depois de cruzarmos o lago num vapor, com o vento da tarde agitando as águas douradas, ele me perguntou, baixinho: 'O que foi mesmo que disse o santo?' E eu citei: *'Laudato si', mi' signore, per frate vento et per aere et nubilo et sereno et onne tempo!'*"[9]

Na sua viagem pela Itália, Peter Camenzind vivencia o passado de são Francisco como o presente, assim como Hesse fizera em 1901.

"Andei pelas mesmas ruas percorridas por são Francisco e, em certos momentos, senti-o caminhar ao meu lado, cheio de insondável amor, saudando cada pássaro, cada fonte, cada roseira silvestre com gratidão e alegria. Colhi e saboreei limões em encostas resplandecentes ao sol, pernoitei em pequenas aldeias, cantei e compus poemas e comemorei a Páscoa em Assis, na igreja de meu santo... Na Úmbria, segui os passos de Francisco, o 'jogral do Senhor', e, em Florença, me deleitei imaginando a vida no *Quattrocento*."[10]

---
9 Idem, p. 409.
10 Idem, p. 414.

Depois do súbito falecimento do amigo Richard, o amor entusiástico por Francisco de Assis torna-se, para Peter Camenzind, uma energia positiva de vida, em oposição a suas depressões desoladoras, à solidão autoimposta, porém dolorosa, ao trabalho opressivo e à sua fatal propensão ao álcool.

> "Eu era alcoólatra e tímido [...] Depois de cada bebedeira, a consciência pesada me perseguia durante muito tempo [...] portanto, decidi me ajudar e firmei um acordo meio sério, meio brincalhão entre o impulso e a consciência. A meu encômio ao santo de Assis, incluí 'meu querido irmão, o vinho'."[11]

Peter Camenzind vai se aprofundando cada vez mais no exemplo e na doutrina do pregador popular da Idade Média. Mais uma vez se sente impelido a viajar à pátria de seu santo predileto e, em Assis, na casa da verdureira Annunziata Nardini, busca relacionar-se sem artificialidade com pessoas simples e, de afetado folhetinista, transforma-se em contista popular ingênuo.

> "Passávamos juntos, na pequena *loggetta*, as belas e douradas tardinhas: vizinhos, crianças e gatos [...] eu falava de são Francisco, da história de Porciúncula e da igreja do santo, de santa Clara e dos primeiros irmãos".[12]

---
11 Idem, p. 435.
12 Obras completas, v. I, p. 444.

Nesse novo ambiente de gente simples, o ideal de fraternidade de Francisco de Assis se torna a máxima mais importante da vida de Peter Camenzind.

> "Amo agora São Francisco, e ele me ensinou a amar todos os homens..."[13]

A partir desse momento, Peter Camenzind decide levar uma vida de fraternidade em benefício dos pobres e necessitados, de acordo com seu lendário santo italiano. Para ele, torna-se missão especial ensinar aos homens como encontrar as fontes da alegria e da vida no amor fraternal à natureza e estimulá-los a ser autênticos irmãos de tudo o que é vivo. Por meio da realização exemplar do franciscanismo, Peter Camenzind transforma-se em outra pessoa, que, graças a esse novo amor pela humanidade, foi capaz de se dedicar ao cuidado e à assistência desinteressada do pobre aleijado Boppi:

> "Para que estudei a vida do santo [Francisco] e aprendi de cor seus maravilhosos cânticos do amor, seguindo seus rastros nas montanhas da Úmbria, se agora um homem desamparado e pobre está sofrendo, enquanto eu sei disso e posso consolá-lo? A mão de alguém poderoso e invisível pôs-se sobre o meu coração, oprimindo-o e

---
13 Idem, p. 447.

enchendo-o de tanta vergonha e dor que tremi e me submeti. Entendi que Deus queria falar comigo. 'Ó poeta', disse ele, 'ó discípulo do santo da Úmbria, ó profeta que quer ensinar o amor e a felicidade aos homens! Ó sonhador que quer ouvir minha voz nos ventos e na água!'"[14]

Tendo diante de seus olhos a decrepitude do aleijado Boppi, Peter Camenzind, portanto, age bem de acordo com o seu modelo, Francisco de Assis. Depois da morte de Boppi, volta à sua cidade natal, Nimikon, e passa a cuidar do pai, agora velho e doente. Isso mostra que ele continua respeitando a fraternidade franciscana como postulado fundamental de sua existência.

Em cada etapa da evolução espiritual de Peter Camenzind — que é, ao mesmo tempo, uma elevação rumo a um ideal —, Hesse vai consolidando, de maneira cada vez mais clara, o protagonista de seu romance como sucessor de Francisco de Assis. Essa evolução atinge o ápice na amizade, marcada pela solidariedade e pela capacidade de amar, entre o saudável Peter Camenzind e Boppi, tão castigado pelo destino. Nessa experiência franciscana de Camenzind, Hesse une o amor pela natureza ao amor pela humanidade, com o entendimento de sua condição comum de seres criados, que confere a esse amor sua dimensão última e profunda.

---

[14] Idem, p. 468.

A figura de Francisco de Assis, que, no romance *Peter Camenzind*, se torna parte integrante da cosmovisão de Hesse, continuou ocupando o escritor também no período seguinte. Em 1904, um ano depois de escrever *Camenzind*, ele publica a biografia do santo italiano, simultaneamente a uma biografia de Boccaccio: resultados imediatos de sua viagem à Itália. No entanto, já em 1902, numa carta ao padre e poeta Karl Ernst Knodt, Hesse mencionara um possível trabalho independente sobre são Francisco:

"Estou trabalhando numa antiga fábula italiana que talvez um dia se transforme em livro: uma história medieval, religiosa e sonhadora. Tenho muita vontade de trabalhar poeticamente a figura de são Francisco, mas isso é impossível, pois sua figura iluminada por si já é um poema puro e doce, que não quero arruinar."[15]

O prefácio dessa monografia, que parece um encômio entusiasmado, evidencia a veneração, quase um culto, de Hesse por são Francisco. Para o escritor, o santo é um importante exemplo de vida vivida na observância do lema *imitatio Christi*, que se tornou paradigma atemporal e ambicionável da existência humana.[16]

---
15 Hermann Hesse, *Gesammelte Briefe* [*Cartas reunidas*], v. 1, 1895-1921. Em colaboração com Heiner Hesse, ed. U. e V. Michels, Frankfurt a.M., 1973, p. 92-93.
16 Cf. p. 9 e 12.

Do ponto de vista da ardente busca neorromântica da harmonia entre Deus e o mundo, Francisco se torna, para Hesse, o protótipo de um homem genuíno que viveu em simbiose direta com a criação e, por isso, algumas vezes redescobriu a essência e as leis da existência humana:

> "A vida que cada homem grandioso vive dessa maneira nada mais é que um regresso ao início da criação e uma saudação fervorosa que Deus nos manda do paraíso. Pois esses grandes sonhadores, essas almas heroicas [...] ansiaram insaciavelmente atingir as fontes puras e primitivas da energia e da vida, lidando com as almas misteriosas da terra, das plantas e dos animais como se fossem suas iguais e estreitamente aparentadas; ansiaram [...] por conversar diretamente com Deus sobre suas necessidades e questões mais íntimas. E, dessa forma, conseguiram aproximar todas as outras pessoas de Deus, conferindo novo valor ao mistério da criação e interpretando-o a partir de uma intuição sagrada."

Para representar a biografia de Francisco, Hesse utilizou — como ele próprio registrou — as monografias sobre Francisco de Henry Thode[17] e Paul Sabatier.[18] O rico conjunto de fontes amplamente documentado nessas

---

17 *Franz von Assis und die Anfänge der Kunst der Renaissance in Italien* [*Francisco de Assis e os primórdios da arte da Renascença na Itália*], Berlim: 1885.
18 *Vie de St. François d'Assise* [*Vida de são Francisco de Assis*], Paris: 1893.

monografias conduziu-o às biografias medievais de Tomás de Celano[19] e de são Boaventura[20], assim como às crônicas franciscanas obrigatórias.[21]

Levando em conta os fatos narrados pela transmissão oral, Hesse narra a vida de são Francisco numa linguagem arcaico-popular e na maneira enfática da hagiografia tradicional. A perspectiva de sua representação é a do relato e da descrição calma.

Depois de uma digressão geral sobre as caóticas circunstâncias políticas do final do século XII, que revela com nitidez a aversão de Hesse à política de poder do papa e às heresias da época, é citada, como contraste, a conversão interior de Francisco à vida de salvação.

Na sequência, fala dos pais de Francisco. Com contornos precisos, caracteriza o pai, Pietro di Bernardone, como um rico comerciante de tecidos que viaja muito, e, extrapolando as fontes, traça uma imagem afetuosa da mãe Giovanna.

"Diante do pouco que os antigos autores sabem contar sobre essa senhora de berço nobre, maior se

---

19 *Vita prima/secunda S. Francisci*, in: Analecta Franciscana 10 (Quaracchi 1926/41), p. 3-115, 129-260; idem, *Tractatus de miraculis beati Francisci*, p. 271-330.
20 *Vita seu legenda maior et minor sancti Francisci*, idem, p. 557-678.
21 *Chronica Fr. Iordani de Iano*, ed. Boehmer, Paris: 1908; *Tractatus Fr. Thomae de Eccleston de Adventu FF. Minorum in Anglian*, ed. A. G. Littel, Paris: 1909; *Chronica Fr. Salimbene de Adam*, ed. O. Holder-Egger, *Monumenta Germaniae Historica, Scriptores*, tom. XXXII (Hanôver-Leipzig 1905-1913).

torna nosso desejo de ter e contemplar um retrato de sua pessoa, que só pode ser imaginada como mulher amorosa, delicada e alegre, como os provençais, que sabiam tanto rezar com fervor como cantar e fazer poesia com graciosidade. E, quando observamos a vida e a obra de seu filho, persiste a ideia de que esse homem só pode mesmo ter tido uma mãe extremamente bondosa."

Não se deve excluir a hipótese de Hesse, proveniente de uma família pietista, articular aqui reminiscências afetivas da própria mãe.

Já no prefácio de sua monografia sobre Francisco, Hesse se revela um narrador versado que compõe a imagem dos pais do santo contra o pano de fundo dos acontecimentos históricos da época. Aponta insistentemente para a situação política da Itália e da Úmbria nos tempos de Henrique VI e Conrado da Suábia, duque de Spoleto e regente de Assis. E, assim, dá visibilidade ao importante contexto em que Francisco cresceu.

O relato do nascimento de Francisco, em 1182, é transposto por Hesse para um nível poético-lendário, ao inserir na narrativa um episódio da obra *De conformitate vitae beati Francisci ad vitam Domini Jesu* [Da conformidade da vida do beato Francisco com a vida do Senhor Jesus], de Bartolomeu de Pisa (ou Bartolomeo da Rinonico), segundo a qual um peregrino misterioso abraçou Francisco recém-nascido e lhe vaticinou especial grandeza moral.[22] Hesse encontrou a fonte dessa lenda em Paul Sabatier, que comunica esse episódio nas notas de sua monografia sobre Francisco. Fica claro na descrição do nascimento do santo que Hesse, em sua monografia sobre Francisco, se esforça para reproduzir com precisão os fatos biográficos da fonte. Assim, de acordo com a transmissão oral,[23] conta que Francisco nasceu durante uma viagem de negócios do pai, sendo inicialmente batizado com o nome de Giovanni e recebendo o nome de Francesco depois do regresso do pai. O que Hesse fala sobre a parca escolaridade de Francisco baseia-se nas investigações de Paul Sabatier e nas fontes citadas por ele. O mesmo vale para as observações de Hesse sobre o luxuoso estilo de vida de Francisco.

Hesse descreve que Francisco, apesar da fortuna e dos hábitos perdulários da juventude, já praticava a virtude da caridade; isso ocorre no episódio em que Francisco primeiro expulsa um mendigo da loja do pai, mas depois corre atrás dele para presenteá-lo ricamente.[24] Com evidente simpatia, Hesse acompanha a trajetória seguinte do santo: a participação na infeliz

---

22 *De conformitate*, liber I, pars II, fructus I; liber I, pars II, fructus 4; cf. Analecta Franciscana 4 (Quaracchi 1906), p. 56-109.

23 Cf. W. Goez. "Franciscus von Assis", *in: Theologische Realenzyklopaedie* 11. (Berlim /N. York, 1983), p. 300.

24 Hesse reconta este episódio de acordo com Paul Sabatier, *Leben des Heiligen Franz von Assisi* [Vida de são Francisco de Assis], op. cit. 9, que, por sua vez, se baseia nos biógrafos Tomas de Celano e Bonaventura, bem como na lenda dos três companheiros.

guerra de Collestrada, o cativeiro, a doença grave, a lenta recuperação e os planos de participar de uma expedição bélica ao sul da Itália para conquistar as honras de cavaleiro. Francisco desiste desse plano em virtude de uma conversão súbita e devota-se ao ideal da *imitatio vitae pauperis Jesu*,* apesar do escárnio dos amigos: Hesse revive esse processo emocionalmente e o relata com notável afinidade, acentuando a narrativa com palavras de cunho paradigmático-homilético.

É inegável que nessa profissão de fé por Francisco se reflete o romantismo de Hesse e, associadas a este, sua aspiração e sua busca da harmonia entre o eu e Deus, o mundo e a natureza, tema constante em suas obras, que viria a ser uma metáfora característica.

Francisco abre mão de bens e herança, apesar do conflito doloroso com o pai Pietro Bernardone, e passa a devotar-se inteiramente à pobreza e ao amor ao próximo, almejando a autorrealização na entrega a Deus e à natureza: tudo isso encontra imensa admiração por parte de Hesse:

> "Assim foi o matrimônio de Francisco com a pobreza sagrada. Finalmente, havia encontrado o tesouro que buscara durante tantos anos: a harmonia de seu ser com Deus e o mundo. [...] Intimamente feliz com a liberdade conquistada,

---

* Imitação da vida pobre de Jesus. *(N. da E.)*

Francisco percorria os vales e as verdes colinas de sua terra, abençoado e bem-aventurado. A beleza desta Terra revelou-se ao seu amor pueril e afetuoso como um mundo renascido e transfigurado: as árvores em flor, a relva macia, as águas correntes e cintilantes, as nuvens que passavam pelo azul-celeste e o canto de alegria dos pássaros tornaram-se seus amigos fraternos. Pois de seus olhos e de seus ouvidos caíra um véu, e ele enxergava o mundo purificado e sagrado, transfigurado como nos primeiros dias do esplendor do Paraíso."

É mais do que nítido que, para Hesse, Francisco também personifica aqui a figura do andarilho bem-aventurado, com importante papel nas primeiras obras do escritor alemão. Além disso, durante toda a vida Hesse tentou praticar essa forma de existência dissociada de obrigações sociais: desde a infância na Basileia e em Calw, até os anos de casado em Gaienhofen e Berna e durante as várias viagens pela Suábia, pela Suíça e pela Itália. O trecho acima citado sobre a vivência de Francisco com a natureza e com a liberdade assim conquistada lembra o esboço de 1905 de *Im Philisterland (Na terra dos filisteus)*, em que Hesse narra que, pouco depois de chegar a Gaienhofen, certa noite, movido por profundo descontentamento com a vida sedentária que estava iniciando, percorreu no escuro morros e florestas, só para poder se sentir de novo, apenas por um momento, um andarilho bem-aventurado, antes de regressar para a casa, o gato e a mulher adormecida.[25]

Para Hesse, o motivo de a figura do *Poverello* ter-se conservado tão atual e influente até os dias de hoje reside na rigorosa coerência com que ele concretizou o preceito da pobreza apostólica, expressando seu anseio de fé por meio de incomparável humildade.

> "Foi por isso que, ao longo dos séculos, incontáveis pessoas o amaram e o veneraram, sua imagem e a história de sua vida foram mil vezes representadas, contadas, cantadas e esculpidas por artistas, poetas e estudiosos, como nenhuma imagem ou nenhum feito de príncipes e poderosos, e seu nome e sua reputação chegaram aos nossos tempos como um cântico da vida e consolo divino, e o que ele disse e fez ressoa hoje com tanto vigor como em sua época, há setecentos anos..."

Da mesma forma que Paul Sabatier,[26] Hesse caracteriza o início da nova trajetória de Francisco por meio de seu grande empenho em restaurar igrejas e capelas arruinadas, em especial a de São Damião (hoje em Santa Chiara, Assis) e a igrejinha predileta do santo, a Porciúncula, em Santa Maria degli Angeli, nas proximidades de Assis. Para Hesse, o acontecimento realmente decisivo na vida

---

25 *Obras completas*, v. VI, p. 175-180.
26 Paul Sabatier, *Vida de são Francisco de Assis*, p. 50.

de Francisco, porém, é o momento em que este se torna pregador andarilho, evento desencadeado pela perícope Mateus 10, 7-14, no dia de São Matias (24 de fevereiro) de 1208. Hesse descreve a atividade de pregador de Francisco com palavras incisivas.

Trovador, peregrino cantor, andarilho, jogral e ave canora são apenas alguns dos atributos mediante os quais Hesse caracteriza o santo como pregador. Hesse credita à força de persuasão com que Francisco era capaz de concretizar em palavras e ações o objetivo de um modo de vida incondicionalmente cristão o fato de os primeiros discípulos o terem seguido a Roma em 1209, onde, graças à intercessão do bispo Guido de Assis, conseguiram obter a autorização do papa Inocêncio III para sua forma de vida. Embora Hesse represente a vida de Francisco sempre com simpatia, às vezes até com entusiasmo, sua narrativa nunca deixa de se basear em grande parte em fatos históricos da transmissão oral, encontrados preponderantemente na monografia de Paul Sabatier. O relato do regresso de Roma e a descrição do desenvolvimento da Ordem dos Frades Menores, inclusive da fundação da Ordem das Clarissas, em 1212, são fiéis às fontes. O mesmo vale para as observações de Hesse sobre a morte do santo.

> "Pouco tempo antes de seu fim, pediu que o levassem a Porciúncula, que considerava sua pátria amada. Ali ficou deitado, à espera da morte, sorrindo e cheio de bondade, e ainda disse algumas

palavras de consolo aos companheiros. Pediu que cantassem mais uma vez para ele a canção *Laudes creaturarum* e deu-lhes a bênção; também abençoou os irmãos e as irmãs distantes, e todas as pessoas, fazendo com que de seu leito de morte fluísse um rio de amor. Morreu em seguida, no dia 3 de outubro de 1226, no fim da tarde. E, no momento em que ele se foi, uma grande revoada de cotovias baixou no telhado de seu casebre, entoando sonoro canto."[27]

Embora Hesse, em sua biografia de Francisco, enfatize o caráter factual dos acontecimentos, é evidente que ele se restringe apenas às datas históricas mais importantes e necessárias para a compreensão da matéria. No centro de sua representação está a ilustração edificante da forma de vida concretizada por Francisco e, indiretamente, o convite para imitar a vida de quem professa a fé. Essa tendência parenética e homilética determina a direção da narrativa de Hesse, que já ocasionalmente incluíra lendas em sua monografia, sobretudo com a finalidade de documentar o imenso amor de Francisco pelos animais. Desse modo, Hesse relata a história de Francisco e das rolinhas, assim como o episódio em que ele lançou de volta às águas um peixe recém-pescado.

---

[27] *Vida de são Francisco de Assis.* op. cit., p. 132. Sabatier (p. 120) buscou essas lendas em Tomás de Celano, são Bonaventura, o *Spreculum perfectonis* e os *Fioretti*.

Hesse tomou emprestadas essas lendas de Paul Sabatier. No apêndice à monografia, ele apresenta cinco lendas de Francisco, sem indicação de fonte. No entanto, não é difícil averiguar qual foi o modelo que Hesse usou para contar essas lendas. Em 1905, fora publicada a tradução alemã do livro *I Fioretti di San Francesco* por obra de Otto von Taube[28]. O livro já havia sido mencionado por Hesse numa carta de 25 de outubro de 1904[29] e resenhado em 1905 em diversas revistas.[30] Com base na tradução de Otto von Taube, Hesse pôde reproduzir as lendas em estilo arcaico-popular. Trata-se, nessa ordem, dos capítulos 8, 10, 16, 36 e do apêndice 2 do *Florilégio*. São os episódios em que Francisco ensina a frei Leão o que é perfeita alegria, em que frei Masseo supostamente critica Francisco, em que Francisco ordena às andorinhas que se calem, em que interpreta uma visão de frei Leão e em que um falcão desperta Francisco para a oração matutina no monte Alverne. Em alguns pontos, Hesse abreviou o texto do modelo, limitando-os ao essencial, sempre fiel ao interesse da representação concisa e edificante. Depois das lendas, Hesse reproduz o texto do

---

28 Otto von Taube. *Blütenkranz des Heiligen Franziskus von Assis* [*Florilégios de são Francisco de Assis*]. Jena/Leipzig, 1905.
29 Hermann Hesse. *Gesammelte Briefe. Erster Band 1895-1921* [*Cartas reunidas, v. 1, 1895-1921*], op. cit. p. 139: Carta de 25.10.1904, de Gaienhofen, para Helene Voigt-Diederichs: "Lembrei agora; não saiu ainda a anunciada reedição de *Fioretti*? Espero-a ansiosamente."
30 Cf. J. Milleck. *Hermann Hesse. Biography and Bibliography* [*Hermann Hesse. Biografia e bibliografia*]. University of California Press: Berkeley/Los Angeles/Londres, 1977, v. 2, p. 811 e 817.

famoso *Cântico das criaturas (Laudes creaturarum)*, com uma tradução literal, introduzida com palavras solenes.

"Ele [Francisco] cantava e fazia poesias durante o dia e à noite, pois se lembrava de toda a beleza da terra, bem como do consolo e da graça que recebera de seu Senhor, dos muitos confrades e dos rios e das campinas onde, em solidão, Deus se lhe revelara; também se lembrava dos animais e dos pássaros que lhe haviam proporcionado alegria e deleite. E certo dia, em vez de orar, cantou uma canção em que pede a todas as criaturas que louvem a Deus. Era a canção *Laudes creaturarum*, também chamada de *O cântico do irmão sol* de são Francisco."

O final de sua monografia de Francisco oferece a Hesse a oportunidade de homenagear mais uma vez a relevância do santo italiano e relatar sua influência sobre a posteridade. De acordo com Hesse, não houve outro personagem tão venerado através dos séculos, especialmente na Itália, como o humilde Francisco.

"Foi ele homenageado principalmente pelos artistas, que o viam como um salvador e um instigador."

Como testemunho especialmente impressionante dessa veneração, Hesse cita, nesse contexto, os ciclos franciscanos do famoso pintor italiano Giotto di Bondone, do século XIV:

"Pois tais afrescos não só retratam seus feitos e os acontecimentos de sua vida, como também são um cântico entusiasmado nascido do espírito da santidade. A arte extremamente ousada e intensa de Giotto no fundo nada mais é que um poderoso eco da voz daquele grande cantor e pregador. Normalmente, um espírito vigoroso e profundo fala e tenta se fazer entender por meio de formas e transformações, que são sempre renovadas; assim, por exemplo, o espírito de Cristo se expressou de diversas maneiras, em diferentes épocas. Nos tempos em que a doutrina e a prédica arrefeceram e enfraqueceram, acaso ele não falou por meio de poetas, visionários e grandes músicos? E nos tempos em que a Igreja caiu em pecado e viu-se em decadência, ele falou por meio das obras de pintores, arquitetos e escultores!"[31]

De acordo com as palavras de Hesse, durante gerações não houve personagem que despertasse na humanidade tal anseio por amor, esperança e expectativa escatológica como Francisco. Isso é testemunhado não apenas pela quantidade incontável de representações tipológicas e simbólicas de Francisco nas artes, como também pela diversidade das narrativas legendárias sobre o santo e, ainda, pela influência de Francisco sobre a arte poética.

---

31 Sobre a representação da figura de são Francisco nas artes, veja entre outros G. van's Hertogenbosch. "Franz von Assisi", *in: Lexikon der christlichen Ikonographie*. v. VI, Freiburg, 1974, p. 260-315.

"Não foram poucos os poetas que escreveram e cantaram, inspirados em seus sentimentos e em seu espírito. Muito antes de Dante, esses sucessores e admiradores de Francisco utilizaram a língua vernácula e devem ser vistos como precursores ou fundadores da arte poética italiana em versos."

Com isso, Hesse reconheceu a importância do *Cantico delle creature (Laudes creaturarum)* como grande testemunho da poesia italiana em linguagem popular simples com que se iniciava, na Itália, uma lírica independente, sem influência provençal ou francesa.

Na qualidade de um dos primeiros sucessores de Francisco que escreveram tanto em latim quanto em italiano, Hesse cita como exemplo significativo o biógrafo Tomás de Celano, autor da famosa sequência *Dies irae, dies illa*. Hesse também vê a influência de Francisco no monge franciscano Giacomino da Verona, com seus poemas religiosos e sua representação do inferno e do paraíso, que fazem parte dos testemunhos mais conhecidos da representação do além-túmulo antes de Dante. No entanto, o testemunho mais impressionante no espírito de Francisco é, para Hesse, o franciscano italiano Jacopone da Todi, suposto autor do conhecido hino *Stabat mater*, cujos poemas apaixonados refletem profundo sentimento religioso e místico, articulando flagelo, penitência e desprezo pelo mundo, enquanto em Francisco predomina a humildade feliz.

A mesma influência gigantesca que a profissão de fé de Francisco teve sobre as artes plásticas existiu, na visão de Hesse, também sobre a poesia e a história do pensamento.

"Se alguém me perguntasse: 'mas como podes chamar aquele Francisco de grande poeta, se ele não nos legou nada mais do que a canção *Laudes creaturarum*?', eu responderia: ele nos deu as imagens imortais de Giotto, belas lendas e as canções de Jacopone e de todos os outros, além de mil obras preciosas que, sem ele e o secreto poder de amor de sua alma, jamais teriam surgido. Ele foi um daqueles grandes seres enigmáticos, um dos mais antigos que, inconscientemente, ajudaram a construir a obra gigantesca e milagrosa chamada Renascença, ou seja, o renascimento do espírito e das artes."

Ainda que Hesse não mencione expressamente, está claro que, nesse particular, ele compartilha a opinião de Jacob Burckhardt,[32] que ressaltou a relevância histórica de Francisco.

Mais ainda que a influência de Francisco sobre as artes e a poesia, o que fascina Hesse, em última instância, é a forma de vida praticada pelo santo como legado

---

32 *Die Kultur der Renaissance in Italien* [*A cultura da Renascença na Itália*]. Edição licenciada para Manfred Pawlak (reedição). Herrsching, 1981, p. 532, nota 12.

normativo de valores espirituais atemporais e virtudes fundamentais de uma vida exemplar:

> "E há poucos que, não sendo amados e admirados através dos séculos pelas suas belas obras e palavras, mas apenas por sua essência pura e nobre, flutuam no firmamento acima de nós como estrelas santas, dourados e sorridentes, guias e líderes bondosos para as errâncias dos homens nas trevas."

Com essas palavras panegíricas, Hesse conclui seu ensaio sobre Francisco de Assis. O objetivo declarado de sua narrativa é a reflexão sobre o ideal de espiritualidade. Embora Hesse limite o conteúdo biográfico sobre Francisco a detalhes escolhidos, porém expressivos, e almeje uma representação simbólica daquilo que é essencial e edificante, há evidente deleite com a narrativa de ação e de episódios. Essa forma pretende emprestar conteúdo emocional à ação e à imagem do santo transportada para a dimensão humana e afetiva. O relato factual e a observação contemplativa entrelaçam-se de forma harmoniosa. Essa tendência formal tem como resultado um relato popular e graciosamente vivo, às vezes permeado de lirismo.

Como já mencionamos, para Hesse a publicação da tradução alemã de Otto von Taube dos *Fioretti di San Francesco* foi um pretexto bem-vindo para voltar a tratar de Francisco. Em 21 de maio de 1905, ele resenhou o livro para o jornal *Neue Zürcher Zeitung* e, em 2 de junho do mesmo ano, no suplemento cultural *Propyläen*, do jornal *Münchner Zeitung*. Em outubro de 1905 foi publicada outra resenha na revista *Der Kunstwart*. Nela, antes de tratar do livro traduzido por Otto von Taube, Hesse apresenta uma introdução com informações sobre *I Fioretti di San Francesco*, que designa como a mais bela e importante coleção de lendas, considerando-as testemunho da veneração popular por Francisco:

> "Sem dúvida surgidas em parte ainda durante a vida de Francisco, andaram de boca em boca durante muito tempo e foram a expressão singela daquele amor e da veneração terna e quase carinhosa que o povo devotava ao *Poverello*, seu santo mais popular e adorável. Na verdade, ainda que não seja fonte confiável sobre a vida de Francisco, este é um livro de lendas preenchido e iluminado pelo espírito do úmbrio."

Hesse atribui a primeira versão do *Fioretti*, de acordo com o manuscrito mais antigo do ano de 1396, a um autor ou compilador anônimo. Segundo as palavras de Hesse, é uma joia linguística do *Trecento* e um dos livros mais populares da Itália. Para ele, é incompreensível como esse relato poético emocionante e singelo de uma vida extática tenha sido descoberto pela literatura alemã apenas no século XIX. Enquanto critica as traduções de Franz Philipp Kaulen e P. Heinrizi, a tradução de Otto von Taube conta com sua aprovação.

"Agora saiu finalmente uma bela tradução alemã, que é artística e bastante satisfatória [...] A excelente publicação, cuja decoração inclui as capitulares desenhadas por F. H. Ehmcke, merece todos os elogios e de fato preenche uma lacuna. É quase incompreensível que não tenha surgido antes uma nova versão alemã dos *Fioretti*, pois há mais de dez anos a veneração por são Francisco vem crescendo consideravelmente. Por isso, mais animadora é essa tradução de Taube, que constitui uma façanha impecável, simpática e digna de apreço."

A resenha mais detalhada da tradução de Otto von Taube foi publicada pelo *Münchner Zeitung*. Depois de chamar a atenção dos leitores para a tradução, ele apresenta o livro com informações sobre Francisco que se ampliam até uma breve biografia do santo e refazem, em traços firmes e simplificados, a trajetória do *Poverello* do nascimento à morte. Enquanto a monografia sobre Francisco, permeada de vivacidade e emotividade, representa uma imagem narrativa à maneira de encômio, o esboço da vida do santo no *Münchner Zeitung* é quase um texto seco, à moda de uma biografia histórica. O que na monografia é apresentado de maneira justaposta, com riqueza de material e de forma explícita, surge agora de modo mais claramente composto e concentrado. O objetivo desse relato simples não é tanto a experiência devota dos ouvintes ou dos leitores, pois ele está menos ajustado a um público que urge edificar e, dessa perspectiva, está menos permeado de sentimentos religiosos do que a monografia.

Sobre o pano de fundo histórico dos acontecimentos dos séculos XII e XIII, no texto do *Münchner Zeitung*, Hesse caracteriza a origem, a educação mundana e o ambiente social de Francisco. Narra, cronologicamente, a participação de Francisco na batalha defensiva contra Perúgia, seu cativeiro e a propensão apaixonada à vida mundana. Nesse contexto, é interessante como Hesse já crê enxergar na vitalidade juvenil de Francisco sinais de sua posterior decisão pela pobreza apostólica:

"Já naquela atitude lúdica, ainda de menino, revelava o comportamento de alguém que não sabe fazer nada pela metade e que, para viver, necessita de um anseio profundo, um ideal para seguir com total devoção. Quer provar o que há de mais profundo e precioso na vida e, intuindo onde está o caminho para alcançá-lo, não hesita em segui-lo. No entanto, tem como precioso patrimônio uma alegria interior indestrutível, algo da natureza de uma ave canora: nunca lhe faltam um sorriso, uma canção, uma palavra cordial. Essas duas características — o anseio apaixonado de se elevar e, ao mesmo tempo, a ingenuidade alegre e a afabilidade da criança — explicam toda a sua natureza e a sua vida."[33]

Para Hesse, os episódios juvenis de Francisco têm um encanto novelesco e colorido, quase coquete, e, de sua perspectiva, não estão necessariamente em contradição com a nova fase de vida religiosa do *Poverello*. Mais do que isso, na natureza do jovem Francisco ainda dedicado às alegrias mundanas Hesse identifica as características elementares de amor ao próximo que ele passa a praticar depois da conversão.

"Essa é a história da juventude do santo, e ela tem a graça quase coquete de um conto. Mas nele não se perderam os traços simpáticos, a alegria sempre pronta para o canto e a pilhéria, o gosto pelo belo, a nobreza ora entusiasmada, ora galhofeira. Tais traços, baseados numa seriedade generosa, singela, imensa, ganharam uma beleza nova, mais elevada e espiritualizada, e envolveram a figura do santo com uma aura de puerilidade e graça eternamente jovem que lhe angariaram milhares de corações."[34]

---

33 Cf. p. 64-65.
34 Idem, p. 68.

Obedecendo ao Evangelho e ao postulado da pobreza apostólica, Francisco, na visão de Hesse, encontra o caminho direto para obter a liberdade interior.

"Com sua maneira ingênua, sempre voltada para a vida cotidiana e ativa, Francisco abraçou a palavra de Jesus sem a menor tentativa de exegese dogmatizante, sobretudo em seu significado para a vida prática do dia a dia. E, assim, voltou ao preceito da pobreza apostólica com uma compreensão instintiva daquilo que é essencial. Intuiu que a única possibilidade de liberdade interior estava na ausência total de posses e decidiu livrar-se de todos os bens..."[35]

É mais do que compreensível que Hesse, assim como em sua monografia sobre Francisco, destaque também na biografia o amor à natureza do santo como elemento essencial da propagação atemporal do *Poverello*:

"Na profunda sensibilidade à natureza reside também a magia misteriosa que Francisco exerce até hoje, mesmo sobre pessoas indiferentes à religião. O sentimento de gratidão e de alegria com que saúda e ama todas as forças e criaturas do mundo visível, como se fossem irmãos e seres

---
35 Idem, p. 68-69.

aparentados, é isento de qualquer simbolismo eclesiástico e, em sua humanidade e beleza atemporais, consiste numa das aparições mais insólitas e nobres de todo aquele mundo medieval tardio."[36]

Ao informar sobre a vida posterior de Francisco, sua famosa viagem ao Monte Alverne, o mistério de seus estigmas e o episódio de sua morte,[37] Hesse remete aos *Fioretti*, esboçando dados biográficos de Francisco. No tocante à relevância cultural do santo, cita a obra de Henry Thode, para finalizar homenageando mais uma vez os *Fioretti* como o livro mais popular da Itália, que também deve ser apreciado na evolução da novelística italiana:

> "Apesar do conteúdo devoto, o *Florilégio* é um precursor da literatura novelesca italiana e constitui o monumento mais belo e imorredouro que jamais um grande personagem erigiu na literatura de seu povo. Não se trata de um documento histórico sobre a vida, os atos e as palavras de Francisco, mas reflete, até os mínimos detalhes, os traços encantadores e sérios de sua personalidade, apresentando o santo do modo preciso como ele viveu durante séculos — e ainda vive — na memória devota do povo."[38]

---

36 Idem, p. 71-72.
37 Idem, p. 72.
38 Idem, p. 73.

Esse julgamento mostra como Hesse estava fascinado pela leitura do *Florilégio* na tradução de Otto von Taube, cuja prova final já tinha lido, segundo a carta de 5 de dezembro de 1904 ao editor Diederichs.[39]

Em 1911, quando foi lançada a tradução dos *Fioretti* feita por Rudolf G. Binding,[40] são Francisco voltou ao centro da atenção de Hesse, dando-lhe a oportunidade de destacá-lo novamente como um homem exemplar na revista *März*,[41] entendendo a humanidade de Francisco não só como expressão da reflexão cristã ou confessional, mas também como símbolo da humanidade no sentido mais amplo. Isso também se torna evidente na carta aberta que Hesse escreveu em 5 de agosto de 1915 ao poeta Christian Wagner, no *Neue Zürcher Zeitung*, na qual reforça a cosmovisão de Wagner, referindo-se a são Francisco:

"O senhor sempre viveu na realidade única e mais elevada, na esfera indestrutível, e nas suas horas mais solenes não sonhou com fama ou fortuna, mas esteve com seu Deus; tal como o pobre menestrel e mensageiro secreto desse Deus, o senhor

---

[39] Hermann Hesse, *Gesammelte Briefe* [*Cartas reunidas*], v. 1, 1895-1921, op. cit. p. 131.
[40] *Die Blümlein des heiligen Franziskus von Assis* [*Os Florilégios de são Francisco de Assis*]. Leipzig, 1911, segunda edição, Frankfurt a. M., 1935, e terceira edição, Frankfurt a. M., 1973 (*insel taschenbuch* 48).
[41] März. *Eine Wochenschrift* (*Marz, um semanário*), org. Ludwig Thoma e Hermann Hesse, ano 6, v. I (Munique, 1912), p. 279.

passeou pela Terra, como são Francisco, cuja existência desconhecia e provavelmente não queria conhecer, visto que fazia tempo tinha se distanciado do cristianismo em favor de um paganismo pio, cujo Deus estava além das confissões."[42]

Sua carta[43] de 23 de março de 1921 para Lisa Wenger e, não por último, também sua réplica[44] a cartas de estudantes nacionalistas no segundo caderno da revista *Vivos voco*, de 1921/22, provam até que ponto Hesse se esforçou por descrever Francisco como ideal humano livre de qualquer dogmatismo cristão.

Antes de redigir essas duas últimas anotações sobre o *Poverello*, Hesse já se voltara novamente para o tema são Francisco de Assis, escrevendo a lenda *O jogo das flores — sobre a infância de São Francisco de Assis*, em fevereiro de 1920, em *Velhagen und Klasings Monatsheften*

---

[42] Hermann Hesse, *Gesammelte Briefe (Cartas reunidas)*, v. 1, 1895-1921, op. cit, p. 280.
[43] Idem, p.468. "Sim, e no que tange à religião, à moral e à escolha entre budismo e cristianismo e Lao-Tsé, certamente haveremos de falar muito sobre isso. Eu, de minha parte, não acredito que exista uma religião ou doutrina que seja a melhor e a única [...] Se a suave compaixão, a bondade e a comiseração são o que há de mais elevado, então Francisco de Assis foi um dos maiores homens."
[44] Idem, p. 487. Nessa carta, Hesse rebate o falso ânimo nacionalista alemão da época, escrevendo, entre outras coisas: "Só precisamos nos latinizar e nos internacionalizar até o ponto de estarmos dispostos a aprender com os latinos e estrangeiros, como Jesus, Francisco de Assis, Dante e Shakespeare."

[*Cadernos mensais de Velhagen e Klasing*].[45] Essa história narra um episódio da infância de Francisco, quando este tinha doze anos; trata-se de uma ficção de Hesse, não avalizada por fontes históricas sobre a vida do santo. Em tons emotivos e poéticos, Hesse conta como Francisco, ainda menino, sentado junto à escada da entrada da casa dos pais numa tarde calma e quente, entrega-se ao sonho de uma vida radiante como cavaleiro em outras terras, segundo o exemplo de Orlando e Lancelote. Com sensibilidade intuitiva, Hesse consegue desenhar o mundo imaginário do jovem Francisco, numa transfiguração romântica do ambiente da Idade Média:

"Francisco abriu os olhos por baixo dos cabelos cacheados e olhou através de uma fresta ao lado do telhado coberto de musgo do vizinho, onde, por entre os pilares de pedra de sustentação da parreira, avistou a paisagem que começava estreita e se abria até a vastidão: a descida para a planície da Úmbria até as montanhas do outro lado, em cuja encosta estava pregada, longe e infinitamente pequena, uma cidadezinha com a torre branca de uma igreja e, atrás dela, o ar azul e a ideia colorida do mundo. Como era bonito e doloroso imaginar tudo o que havia lá atrás, tudo, tudo, rios e pontes, cidades e mares, castelos e exércitos, grupos de

---

45 Cf. p. 74.

cavaleiros com música, heróis montados a cavalo e belas mulheres nobres, torneios e instrumentos de corda, armaduras douradas e trajes farfalhantes de seda, tudo pronto, tudo à espera, um banquete servido para quem tivesse coragem de conquistá-lo."[46]

Com notável sensibilidade psicanalítica, Hesse consegue reproduzir o conflito psicológico que subitamente toma conta de Francisco em seus devaneios quando é preciso decidir entre a vida protegida e segura na casa paterna e uma existência incerta como cavaleiro:

"Francisco estremeceu [...] Era terrível. Quando imaginava quanta coisa boa, bonita, agradável e saborosa havia na Terra. Ah, quanta coisa boa! Uma lareira no outono com castanhas na brasa, uma festa das flores na primavera com as filhas dos nobres trajadas de branco [...] Acaso seria mesmo necessário menosprezar, sacrificar, arriscar tudo isso? Apenas para vencer um dragão (ou ser destroçado por ele) ou para ser nomeado duque por um rei? Precisava ser assim? Fazia sentido? [...] Sentia-se obrigado àquilo. Era um ideal que se acendera. Era um chamamento que ressoara, um fogo se avivara nele. Mas por que era tão difícil, tão difícil mesmo atingir aquilo que parecia a

---
[46] Cf. p. 75.

coisa mais bela, a condição de herói? Por que era necessário optar, sacrificar-se, decidir-se? Não bastava fazer simplesmente o que dava prazer? Sim, mas o que dá prazer? Tudo e nada, tudo por um momento, nada para sempre. Ah, essa sede! Essa avidez que devora por dentro! E tanta dor, tanto temor secreto!

Furioso, bateu a cabeça contra o joelho. Bem, fosse como fosse, queria se tornar cavaleiro."[47]

Hesse faz Francisco voltar dos sonhos à realidade por meio de um grupo de crianças que, adornadas com flores, passa por sua casa em procissão, a cantar com fervor infantil em homenagem à Virgem Maria.[48] A visão dessa cena piedosa, principalmente de um menino pequeno que canta com devoção total, motiva Francisco a se reunir ao grupo de peregrinos mirins e a presentear meninos e meninas com íris arrancados, às escondidas e com relutância, do jardim da mãe:

"Voltou e entregou um íris a cada criança. Ele próprio ficou com um e se pôs à frente da procissão [...] e, quando finalmente chegaram à praça da catedral, no momento em que as montanhas resplandeciam de um vermelho azulado contra o céu dourado, a

---

[47] Idem, p. 76 e seguintes.
[48] Idem, p. 78 e seguintes.

multidão já era grande. *"Mille, mille fiori"*, cantavam, e começaram a dançar diante da igreja, e Francisco, cheio de fervor, com as faces coradas, ia dançando à frente da procissão. Caminhantes vespertinos e camponeses que regressavam para casa paravam e assistiam à cena; as jovens elogiavam Francisco e, finalmente, uma delas, mais ousada, fez o que todas queriam fazer: aproximou-se do belo rapazinho, deu-lhe a mão e continuou dançando com ele. Risadas misturavam-se a aplausos, e por um momento a cerimônia religiosa infantil e lúdica desabrochou em forma de festa, do mesmo modo como, nos lábios das meninas, o sorriso infantil desabrocha em forma de sorriso de donzela."[49]

Entusiasmado, Francisco volta para casa na hora das vésperas, contra a vontade vai para a cama depois de jantar, torturando-se com autoacusações de que se deixou desviar de seus sonhos de cavalaria e deveres viris pela brincadeira infantil, tendo arrancado os íris da mãe.[50] Só quando a mãe entra no quarto e tenta dispersar a autorrecriminação do garoto, tranquilizando-o e confortando-o, é que a exaltação cede.

Os pensamentos e sentimentos que ocorrem à mãe ao ver o filho adormecer, levando-a a intuir de manei-

---
[49] Idem, p. 81 e seguintes.
[50] Idem, p. 83.

ra profética a vida futura e excepcional de Francisco, constituem o acorde final do conto de Hesse:

> "Ela ainda precisou ficar mais algum tempo a seu lado, segurando suas mãos. Teve uma sensação estranha ao comparar a puerilidade dos anseios e sonhos do filho com a paixão e a exaltação dolorosa que tais sentimentos provocavam nele. Seu pequeno sentiria muito amor, disso tinha certeza, mas também muita decepção. Provavelmente não se tornaria cavaleiro, aquilo não passava de sonho. Mas algum destino incomum lhe estava reservado, para o bem ou para o mal.
> No escuro, fez o sinal da cruz sobre ele e, no íntimo, chamou-o por aquele apelido que, mais tarde, ele próprio haveria de adotar: *Poverello*.[51]

Em face da situação de conflito do jovem Francisco, narrada nesse conto com intensa empatia por parte de Hesse, surge involuntariamente a ideia de que os problemas da infância do autor podem ter sido projetados nos conflitos de Francisco. Já aos treze anos, Hesse estava decidido a se tornar escritor, ideia esta aliada à necessidade de se libertar do autoritarismo pietista da casa paterna. Ao mesmo tempo, ele desejava o acolhimento e o calor da família. Essa cisão reflete

---
51 Idem, p. 85.

nitidamente a discrepância entre o ideal do escritor que ele queria se tornar e a criança que ainda era na realidade. Em seus breves esboços e contos autobiográficos, Hesse trabalha vários episódios que remetem à sua vida ambivalente de então: frequentes devaneios, planejamento de aventuras ousadas e mudanças de ânimo até a rebeldia. Sempre autoconfiante, Hesse se tornou adulto dessa maneira, num processo em que corria risco constante de desesperar. Por mais jovem que fosse, vivia — como o menino Francisco de sua narrativa — o temor perene de ter cometido algum pecado. Suas memórias de infância falam de toda sorte de transgressões — figos roubados ou uma borboleta despedaçada —, pelas quais ele se martirizava.[52] Essa ideia de vida ambígua aparece com mais nitidez em *Demian*,[53] sua obra sobre as dores da infância e da puberdade, cujo primeiro capítulo denominou justamente "Dois mundos".[54] Um deles era o mundo da casa paterna e a sensação de acolhimento, o outro era o mundo das forças sedutoras, do estranho e das incertezas.

Com base nesses paralelos evidentes entre a infância de são Francisco, por ele narrada, e sua própria infância, não se deve excluir que Hesse tenha esboçado os problemas de sua própria puberdade nos conflitos do *Poverello*.

---

[52] Cf. os contos de Hesse, *Kinderseele* [*Alma infantil*] e *Das Nachtpfauenauge* [*O grande-pavão-noturno*], bem como Ralph Freedman, Hermann Hesse, op. cit. p. 42-43.
[53] Obras completas, v. V, p. 5-163.
[54] Idem, p. 9.

A lenda *O jogo das flores: sobre a infância de são Francisco de Assis* deve ter sido de especial interesse para Hesse. Ainda em vida mandou reeditá-la diversas vezes. Em 1936, ela saiu em seu *Fabulierbuch* [*Livro das fábulas*],[55] que contém lendas e contos de Hesse escritos entre 1904 e 1927. Em 1938, o conto teve uma edição especial para bibliófilos numa tiragem de dois mil exemplares[56]. Em 1952, o conto sai na coletânea *Glück* [*Felicidade*].[57] Ao mesmo tempo, foi traduzido para diversos idiomas,[58] entre os quais, o italiano.[59]

As reedições de seus textos sobre Francisco sempre deram a Hesse novas oportunidades de se dedicar ao santo italiano. Assim, em 1947, foi lançada uma edição autônoma de sua tradução da canção *Laudes creaturarum*, que ele apresentara pela primeira vez em sua monografia sobre Francisco e voltou a publicar, em 1º

---

[55] Hermann Hesse. *Fabulierbuch. Erzählungen*. [*Livro das fábulas*. Contos.] Berlim: 1935, cf. Obras completas, v. IV, p. 171-525.
[56] Hermann Hesse. *Aus der Kindheit des heiligen Franziskus von Assisi* [*Sobre a infância de são Francisco de Assis*]. Mainz: (Albert-Eggebrecht--Pesse), 1938, p. 24 e seguintes, cf. J. Mileck. *Hermann Hesse, Biography and Bibliography*. op. cit., p. 245-246.
[57] Hermann Hesse. *Glück* [*Felicidade*]. Viena: 1952, cf. Martin Pfeifer. *Hesse-Kommentar zu sämtlichen Werken* [*Comentário sobre Hesse às obras completas*], op. cit. p. 245-246.
[58] J. Mileck. Hermann Hesse, *Biography and Bibliography*, op. cit., v. II, p. 991, 1011, 1012, 1018, 1020.
[59] Hermann Hesse. *Dall'infanzia di S. Francesco d'Assisi*, traduzido por Rodolfo Paoli, in: *Ecclesia* (Vatican City) 7 (Roma, 1948), p. 264-266, cf. J. Mileck. *Hermann Hesse, Biography and Bibliography*., op.cit., v. II, p. 1008.

de novembro de 1920, na revista mensal *Vivos voco*.[60] Nesse contexto, cabe mencionar, como testemunho de que Hesse se ocupava do tema Francisco, sua réplica[61] de 16 de dezembro de 1934 à edição popular[62] da já referida biografia de Francisco escrita por Henry Thode.

Como diz Martin Pfeifer em seu *Hesse-Kommentar* [*Comentário sobre Hesse*], em toda a obra de Hermann Hesse há repetidas alusões a Francisco de Assis, como, por exemplo, no conto *Morgenlandfahrt* [*Viagem ao Oriente*], de 1932, em *Montefalco*, ou na lenda *Tod des Bruder Antonio* [*A morte do irmão Antonio*]. Também nas cartas de Hesse encontramos várias reminiscências de são Francisco, como foi mencionado anteriormente. Numa carta de março de 1932, por ocasião da publicação da obra de Martin Buber, *Der große Maggid und seine Nachfolger* [*O grande Maggid e seus seguidores*], Hesse se refere a Francisco como uma imensa revelação.[63] No dia 14 de maio de 1931, afirma que Francisco é um paradigma

---

60 Na magnífica antologia organizada por Volker Michels, Hermann Hesse, Italien (Frankfurt a.M.: 1983, suhrkamp taschenbuch 689), a monografia sobre são Francisco de Hesse foi publicada pela primeira vez com a *Canção do sol* e o conto *Da infância de são Francisco de Assis*, ao lado de narrativas, anotações de diário, poemas, ensaios, resenhas e contos sobre a Itália.
61 *Nationalzeitung*. Basileia, 16/dez./1934, no 582.
62 Henry Thode. *Franz com Assis und die Anfänge der Kunst der Renaissance in Italien* [*Francisco de Assis e os primórdios da arte da Renascenca na Itália*]. Viena, 1934.
63 Hermann Hesse. *Gesammelte Briefe* [*Cartas reunidas*], v. 2, 1922--1935. Em colaboração com Heiner Hesse, edição de U. e V. Michels, Frankfurt a. M: 1979, p. 54.

atemporal e consolador para uma realidade presente pobre em valores.[64] Essa tendência se fortalece na carta de dezembro de 1941, quando a injustiça, o terror e a perseguição se espalham e se estabelecem na Alemanha nazista. Mais fundamentais e importantes tornaram-se então para Hesse a Idade Média cristã e a imagem de Francisco como bastião contra a irracionalidade e a decadência cultural:

> "Durante toda a Idade Média, desde o século VII e são Bento, os mosteiros, em grande parte, eram não só locais de exercício de ascese e de distanciamento do mundo, como também pátria de cultura, erudição, música, escolaridade, cuidado a doentes e pobres [...] Se um Francisco atual desejasse ligar-se intimamente a toda a dor humana do mundo, teria de se casar com uma judia de Czernowitz."[65]

Em sua carta de 17 de março de 1947 a Walther Meier, Hesse enfatiza uma vez mais a importância da vida e da imagem de Francisco na era presente.[66] Para ele, Francisco se tornara refúgio, assim como para seu Peter Camenzind: fonte de consolo e do rejuvenescimento espiritual, inspiração criativa eterna de sua vida e obra.

---

64 Idem, p. 283.
65 Hermann Hesse. *Gesammelte Briefe* [*Cartas reunidas*], v. 3, 1936-1948. Em colaboração com Heiner Hesse, edição de U. e V. Michels, Frankfurt a. M: 1982, p. 192.
66 Idem, p. 408.

Este livro foi composto na tipografia Palatino
LT Std, em corpo 11,5/16,5, e impresso em
papel off-white no Sistema Cameron da
Divisão Gráfica da Distribuidora Record.